Gevorderde ICT in het onderwijs

ICT in het onderwijs

GlobeEdit

Cover image: www.ingimage.com

Publisher:
GlobeEdit
is a trademark of
International Book Market Service Ltd., member of OmniScriptum Publishing Group
17 Meldrum Street, Beau Bassin 71504, Mauritius
Printed at: see last page
ISBN: 978-620-0-60609-9

Sefali Patel

Gevorderde ICT in het onderwijs

Gevorderde ICT in het onderwijs

Sefali Patel

M.Sc. M.ED.

Voorwoord

ICT heeft een groot aantal functies in het onderwijs, zoals; communicatie, leermiddelen, administratie, informatiebronnen en afstandsonderwijs. ICT heeft dan ook een behoorlijke impact op het onderwijs; zo vereist het Nationaal Curriculum dat kinderen al in een vroeg stadium leren omgaan met computers, zodat ze bij hun doorstroming naar het middelbaar, voortgezet en hoger onderwijs bekwaam zijn in het gebruik van toepassingssoftware. Bijgevolg wordt ICT gebruikt in vrijwel alle vakken die de leerlingen worden onderwezen, of het nu gaat om Engels, wiskunde, moderne vreemde talen, enz.

Gezien de voor- en nadelen van het huidige onderwijssysteem, is dit boek geschreven met een voorstel om de computervaardigheden van de studenten te verbeteren. Dit boek zal in de behoefte van de studenten, docenten en ander personeel voorzien. Dit boek is ontworpen om te dienen als een ondersteunend en betrouwbaar handboek voor in-service en pre-service docenten. De auteur heeft bij de voorbereiding van dit boek het eigenlijke leerproces in de klas in het oog gehouden.

Het boek behandelt de B.Ed. syllabi in het onderwijs voor gevorderde ICT in het onderwijs, voorgeschreven door verschillende universiteiten (met name Sardar Patel University), volledig. Het is in wezen leerlinggericht en examengericht. Bijna alle pogingen worden ondernomen om het gedetailleerde materiaal te leveren van alle onderwerpen waarover in het examen meestal algemene vragen worden gesteld. Waar nodig wordt de tekst vermeld.

De auteur breidt haar oprechte dank uit aan Dr. Dipali Gandhi, I/C Principal, Waymade College of Education, Dr. Chirag Darji en Dr. Bharti Rathore, Assistent Professor aan Waymade College of Education, Dr. Pratiksha Modi, Adhyapak Sahayak aan Waymade College of Education, Sardar Patel University of Vallabh Vidyanagar voor het leveren van hun waardevolle ondersteuning bij de voorbereiding van haar boek.

Inhoudstafel

Hoofdstuk-1: Inleiding en integratie van ICT in het klassikaal onderwijs

1.1) Concept, noodzaak en belang van ICT in het onderwijs

Informatietechnologie in het onderwijs: Informatietechnologie in het onderwijs, effecten van de voortdurende ontwikkelingen in de informatietechnologie (ICT) op het onderwijs. Het tempo van de veranderingen die de nieuwe technologieën teweegbrengen, heeft een aanzienlijk effect gehad op de manier waarop mensen wereldwijd leven, werken en spelen. Nieuwe en opkomende technologieën vormen een uitdaging voor het traditionele onderwijs- en leerproces en de manier waarop het onderwijs wordt beheerd. De informatietechnologie is weliswaar een belangrijk studiegebied op zich, maar heeft een grote invloed op alle gebieden van het leerplan. Gemakkelijke wereldwijde communicatie biedt directe toegang tot een breed scala aan gegevens en stelt de assimilatie- en beoordelingsvaardigheden op de proef. Snelle communicatie, plus een betere toegang tot ICT thuis, op het werk en in onderwijsinstellingen, zou kunnen betekenen dat leren een echte levenslange activiteit wordt - een activiteit waarbij het tempo van de technologische veranderingen een voortdurende evaluatie van het leerproces zelf vereist.

Betekenis & Definitie

ICT verwijst naar activiteiten of studies met betrekking tot computers en andere elektronische technologie. ICT is een afkorting voor "informatie- en communicatietechnologie". ICT (informatie- en communicatietechnologie - of technologieën) is technologie die activiteiten met betrekking tot informatie ondersteunt. Dergelijke activiteiten omvatten het verzamelen, verwerken, opslaan en presenteren van gegevens. Steeds vaker gaat het bij deze activiteiten ook om samenwerking en communicatie. Vandaar dat IT ICT is geworden: informatie- en communicatietechnologie.

Informatie- en communicatietechnologie (ICT) in het onderwijs is de onderwijsmethode die gebruik maakt van informatie- en communicatietechnologie om de levering van informatie te ondersteunen, te verbeteren en te optimaliseren. Het is een overkoepelende term die alle communicatiemiddelen of -toepassingen omvat, waaronder: radio, televisie, mobiele telefoons, computer- en netwerkhardware en -software, satellietsystemen, enzovoort, evenals de verschillende diensten en toepassingen die daarmee samenhangen, zoals videoconferenties en afstandsonderwijs.

Noodzaak

1) Onderwijs is een levenslang proces en daarom is het altijd en overal nodig om er toegang toe te hebben.

2) Informatie-explosie is een steeds groter wordend fenomeen en daarom is het nodig om toegang te krijgen tot deze informatie.
3) Het onderwijs moet tegemoetkomen aan de behoeften van de verschillende lerenden en daarom is ICT belangrijk om in deze behoefte te voorzien.
4) Het is een vereiste van de samenleving dat het individu over technologische kennis moet beschikken.
5) We moeten de toegang verhogen en de kosten van het onderwijs verlagen om de uitdagingen van analfabetisme en armoede het hoofd te bieden - ICT is het antwoord.
Belang/Belang: Het tempo van de veranderingen als gevolg van nieuwe technologieën heeft een aanzienlijk effect gehad op de manier waarop mensen wereldwijd leven, werken en spelen. Nieuwe en opkomende technologieën vormen een uitdaging voor het traditionele onderwijs- en leerproces en de manier waarop het onderwijs wordt beheerd. De informatietechnologie is weliswaar een belangrijk studiegebied op zich, maar heeft een grote invloed op alle gebieden van het leerplan. Gemakkelijke wereldwijde communicatie biedt directe toegang tot een breed scala aan gegevens en stelt de assimilatie- en beoordelingsvaardigheden op de proef. Snelle communicatie, plus een betere toegang tot IT thuis, op het werk en in onderwijsinstellingen, zou kunnen betekenen dat leren een echte levenslange activiteit wordt - een activiteit waarbij het tempo van de technologische veranderingen een voortdurende evaluatie van het leerproces zelf vereist. Het belang van ICT in het onderwijs wordt hieronder uiteengezet:
1) Het helpt om toegang te krijgen tot een verscheidenheid aan leermiddelen door onmiddellijk leermiddelen aan te bieden.
2) Het biedt altijd en overal leren aan de studenten.
3) Het helpt studenten bij het leren in samenwerkingsverband door gebruik te maken van de multimediale aanpak van het onderwijs en het bespaart ook tijd van de studenten.
4) Het biedt authentieke en actuele informatie door studenten toegang te geven tot online bibliotheken.
Het helpt om verschillende onderwerpen te onderwijzen en de interesse van de studenten te ontwikkelen.
5) Studenten kunnen onderwijs op afstand krijgen door toegang te krijgen tot de informatiebron via ICT.
6) Door gebruik te maken van ICT kunnen studenten meerdere communicatiekanalen - e-mail, chat, forum, blogs, etc. - gebruiken voor hun leerproces en hebben ze ook toegang tot open cursussen.
7) Het is nuttig voor kinderen met een handicap.

Belang/Belang van ICT in het onderwijs

1) Toegang tot verschillende leermiddelen

In het tijdperk van de technologie zijn er met behulp van ICT veel middelen beschikbaar om de onderwijsvaardigheden en het leervermogen te verbeteren. Met behulp van ICT is het nu eenvoudig om audiovisueel onderwijs te geven. De leermiddelen worden verbreed en verbreed. Met deze levendige en uitgebreide techniek als onderdeel van het ICT-curriculum worden leerlingen aangemoedigd om computers te beschouwen als hulpmiddelen die in alle aspecten van hun studie kunnen worden gebruikt. Ze moeten met name gebruik maken van de nieuwe multimediatechnologieën om ideeën te communiceren, projecten te beschrijven en informatie te ordenen in hun werk.

2) Onmiddellijke informatieverstrekking

De ICT heeft gezorgd voor een onmiddellijke integratie in het onderwijs. Nu in het jaar van de computers en webnetwerken is het tempo van het overbrengen van kennis zeer hoog en kan men overal en altijd worden opgeleid. Nieuwe ICT is vaak ingeburgerd in gevestigde werk- en leefpatronen zonder deze radicaal te veranderen. Zo is het traditionele kantoor, met secretaresses die aan toetsenborden werken en notities die op papier worden geschreven en handmatig worden uitgewisseld, opmerkelijk stabiel gebleven, ook al zijn de personal computers in de plaats gekomen van de typemachines.

3) Op elk moment leren

Nu in het jaar van de computers en webnetwerken is het tempo van het overbrengen van kennis zeer hoog en kan men opgeleid worden. Men kan studeren wanneer men wil, ongeacht of het dag of nacht is en ongeacht of men in India of in de VS is vanwege de boom in de ICT.

3) Collaboratief leren

Nu heeft ICT het gemakkelijk gemaakt om zowel te studeren als te onderwijzen in groepen of in clusters. Met online kunnen we ons verenigen om de gewenste taak uit te voeren. Efficiënte postsystemen, de telefoon (vast en mobiel) en diverse opname- en afspeelsystemen op basis van computertechnologie spelen in het nieuwe millennium een rol in de educatieve omroep. Het internet en zijn websites zijn nu bekend bij veel kinderen in de ontwikkelde landen en bij educatieve elites elders, maar het blijft van weinig betekenis voor heel veel meer, die niet over de meest elementaire middelen van bestaan beschikken.

4) Multimediabenadering van het onderwijs

Audiovisuele educatie, planning, voorbereiding en gebruik van apparaten en materialen die betrekking hebben op zicht, geluid of beide, voor educatieve doeleinden. Tot de gebruikte apparaten behoren stilstaande en bewegende beelden, filmstrips, televisie, transparanten, geluidsbanden, platen, onderwijsmachines, computers en videodiscs. De groei van het audiovisuele onderwijs heeft de ontwikkelingen in zowel de technologie als de leertheorie weerspiegeld.

Studies in de psychologie van het leren suggereren dat het gebruik van audiovisuele middelen in het onderwijs verschillende voordelen heeft. Al het leren is gebaseerd op perceptie, het proces waarbij de zintuigen informatie uit de omgeving halen. De hogere processen van geheugen- en conceptvorming kunnen niet plaatsvinden zonder voorafgaande waarneming. Mensen kunnen slechts een beperkte hoeveelheid informatie tegelijk verwerken; hun selectie en perceptie van informatie wordt beïnvloed door ervaringen uit het verleden. Onderzoekers hebben ontdekt dat, als andere omstandigheden gelijk zijn, er meer informatie wordt opgenomen als deze tegelijkertijd wordt ontvangen in twee modaliteiten (bijvoorbeeld zicht en gehoor) in plaats van in een enkele modaliteit. Bovendien wordt het leren verbeterd wanneer het materiaal wordt georganiseerd en die organisatie duidelijk is voor de student. Deze bevindingen suggereren de waarde van audiovisuele middelen in het onderwijsproces. Ze kunnen de perceptie van de belangrijkste kenmerken vergemakkelijken, kunnen zorgvuldig worden georganiseerd en kunnen vereisen dat de student meer dan één modaliteit gebruikt.

5) Authentieke en actuele informatie

De informatie en gegevens die op het net beschikbaar zijn, zijn zuiver correct en actueel. Internet, een verzameling computernetwerken die volgens gemeenschappelijke normen werken en die de computers en de programma's die ze draaien in staat stellen om rechtstreeks te communiceren, levert echte en correcte informatie op.

6) Online bibliotheek

Internets ondersteunen duizenden verschillende soorten operationele en experimentele diensten, waaronder een online bibliotheek. We kunnen veel gegevens krijgen over deze online bibliotheek. Als onderdeel van het ICT-curriculum worden leerlingen aangemoedigd om computers te beschouwen als hulpmiddelen die in alle aspecten van hun studie kunnen worden gebruikt. Ze moeten met name gebruik maken van de nieuwe multimediatechnologieën om ideeën te communiceren, projecten te beschrijven en informatie te ordenen in hun werk. Dit vereist dat zij het medium selecteren dat het meest geschikt is om hun boodschap over te brengen, de informatie op een hiërarchische manier te structureren en informatie te koppelen om een multidimensionaal document te produceren.

7) Afstandsonderwijs

Afstandsonderwijs: De term afstandsonderwijs werd bedacht in het kader van een voortdurende communicatierevolutie, die grotendeels in de plaats kwam van een tot nu toe verwarrende gemengde nomenclatuur-huisstudie, zelfstandige studie, externe studie en, hoewel beperkt in pedagogische middelen, correspondentiestudie. De convergentie van de toegenomen vraag naar toegang tot onderwijsvoorzieningen en innovatieve communicatietechnologie is steeds meer uitgebuit in het licht van de kritiek dat afstandsonderwijs een ontoereikend substituut is voor leren naast andere vormen van onderwijs in formele instellingen. Er is een krachtige stimulans gegeven om de kosten per student te verlagen. Tegelijkertijd besparen studenten die thuis studeren zelf op reistijd en andere kosten.

Wat de redenering ook is, afstandsonderwijs verruimt de toegang voor studenten die om welke reden dan ook (beschikbaarheid van de cursus, geografische afstand, gezinsomstandigheden en individuele handicap) niet in staat zijn om samen met anderen te studeren. Tegelijkertijd spreekt het studenten aan die liever thuis leren. Bovendien spreekt het de organisatoren van beroeps- en bedrijfsopleidingen aan en stimuleert het hen om na te denken over de meest effectieve manier om vitale informatie te communiceren.

8) Betere toegang tot kinderen met een handicap

De informatietechnologie heeft het leven van gehandicapte kinderen drastisch veranderd. ICT biedt verschillende software en technieken om deze arme mensen op te voeden. Tenzij ze vroeg worden voorzien van een speciale opleiding, zijn mensen die vanaf hun geboorte diep doof zijn,

niet in staat om te leren spreken. Doofheid vanaf de geboorte veroorzaakt ernstige zintuiglijke deprivatie, die de intellectuele capaciteit of het leervermogen van een persoon ernstig kan aantasten. Een kind dat al vroeg in zijn leven een gehoorverlies heeft, kan de taalstimulatie missen die kinderen ervaren die kunnen horen. De kritieke periode voor neurologische plasticiteit is tot de leeftijd van zeven jaar. Het uitvallen van de akoestische zintuiglijke input in deze periode resulteert in het uitvallen van de vorming van synaptische verbindingen en mogelijk in een onherstelbare situatie voor het kind. Een vertraging in het leren van taal kan ertoe leiden dat de academische vooruitgang van een doof kind trager verloopt dan die van een horend kind. De academische achterstand heeft de neiging cumulatief te zijn, zodat een dove adolescent vier of meer academische jaren achterloopt op zijn of haar horende leeftijdsgenoten. Dove kinderen, die vroegtijdige taalstimulatie krijgen door middel van gebarentaal, bereiken echter over het algemeen een academische achterstand op hun horende leeftijdgenoten.
De integratie van informatie- en communicatietechnologie in het onderwijs is een centrale kwestie bij het waarborgen van de kwaliteit van het onderwijs. Er zijn twee even belangrijke redenen om informatietechnologie in het onderwijs te integreren. De leerlingen moeten vertrouwd raken met het gebruik van de informatietechnologie, aangezien alle banen in de samenleving van de toekomst ervan afhankelijk zullen zijn, en de informatietechnologie moet in het onderwijs worden gebruikt om de kwaliteit ervan te verbeteren en doeltreffender te maken.

1.2) Op ICT gebaseerde paradigmaverschuiving: Het onderwijzen van leren in de context van het leerplan, de onderwijsmethoden, de rol van de leerkrachten

De informatie- en communicatietechnologieën hebben een revolutie teweeggebracht in onze samenleving. Paradigmaverschuivingen in het onderwijs in de afgelopen jaren voorzien een nieuw soort leercultuur die vraagt om ICT-integratie met pedagogie in de lerarenopleiding. Het implementeren van de pedagogische-technologische integratie in de lerarenopleiding en het beheren van de veranderingen zijn zeer complex en mogelijk een van de meest uitdagende taken voor elke lerarenopleiding. ICT moet zodanig in de pedagogie worden ingebracht dat het gebruik ervan het leren kan verbeteren.
In de moderne samenleving kan een van de grote veranderingen in het onderwijs worden omschreven als een algemene verschuiving van onderwijs naar leren. De rol van de leerkracht bestaat er steeds meer in de leerlingen te helpen om goede leerlingen te worden. Tegelijkertijd moeten leerkrachten helpen bij het creëren van sterkere relaties tussen de studievakken en de concrete realiteit, waardoor ze in een relevantere context voor de leerlingen worden geplaatst. In veel gevallen betekent dit integratie van disciplines en samenwerking tussen docenten van verschillende vakgebieden. Nu beleeft het onderwijs grote paradigmaverschuivingen in de onderwijspraktijk van lesgeven en leren onder invloed van een ICT-ondersteunde leeromgeving. Waar leren door middel van lezingen en discussies vroeger meer adaptief was, is leren door middel van projecten, onderzoek, ontdekking, uitvinding, actie meer geschikt voor de huidige tijd.

Het belangrijkste kenmerk van deze leertransitie is het paradigma van de focus van de leraar op de leerling. In de afgelopen drie decennia zijn de veranderingen in de onderwijsomgeving doorgevoerd. Het model, de focus, de rol van de leerling en de technologie is drastisch veranderd van traditioneel onderwijs naar virtueel leren.

ICT helpt bij het onderwijzen van het leerproces door vier belangrijke sleutelprocessen in de transformatie van het onderwijs en het leren als volgt mogelijk te maken:

1) Toegang tot ideeën en informatie uit diverse bronnen door middel van het zoeken, lokaliseren, selecteren en authenticeren van materiaal in een breed scala aan multimediale vormen.

2) Ideeën en informatie uitbreiden door het verwerken, manipuleren, analyseren en publiceren van materiaal in verschillende multimediale vormen.

3) Ideeën en informatie omzetten in nieuwe of andere vormen door het synthetiseren, modelleren, simuleren en creëren van materiaal in vele multimediale stijlen en formaten.

4) Ideeën en informatie delen op lokale, nationale en internationale netwerken door middel van elektronische interactie met anderen in werkelijke en/of vertraagde tijd.

Toegang, uitbreiding, transformatie en uitwisseling zijn belangrijke processen waarmee studenten leren en zelfstandig leren en zelfstarters worden. Door middel van deze processen geven leerlingen uitdrukking aan hun creativiteit en verbeelding. Deze processen kunnen worden toegepast op alle gebieden van het leren en op alle niveaus van het onderwijs.

Een paradigmaverschuiving: van onderwijs naar leren

Er is een verschuiving nodig van leraargericht onderwijs naar leerlinggericht onderwijs om de studenten in staat te stellen de nieuwe kennis en vaardigheden van de 21e eeuw te verwerven. De volgende tabel (Sandholtz, Ringstaff, en Dwyer, 1997) identificeert de verschuiving die zal plaatsvinden bij het veranderen van een focus op onderwijs naar een focus op leren

	Leraarsgerichte leeromgeving/verschuiving van	**Leerlinggecentreerde leeromgeving/verschuiving naar**
Klaslokaalactiviteit	Leraars-gecentreerd, Didactisch	Leerling centraal, Interactief
Lerarenrol	Factteller, Altijd deskundig	Medewerker, Soms leerling
Wijze van lesgeven	Memorisatie	Onderzoek en uitvinding
Concepten van kennis	Accumulatie van feiten,	Kwantiteitstransformatie van feiten
Beoordeling	Papieren potloodtest	Online test, portfolio's en prestaties
Gebruikte technieken	Boren en oefenen	Communicatie, toegang, samenwerking
Rol van de leraar	kennisoverdracht	facilitator, coach, kennisgids, kennisnavigator en co-learner met de student
Rol van de studenten	Passieve ontvanger van informatie Het reproduceren van kennis, Leren als een eenzame activiteit	Actief deelnemen aan het leerproces Kennis produceren en delen, Samen leren met anderen.

Veranderende rollen van student, leraar en gemeenschap in leergericht onderwijs:

In de traditionele leersituatie is de relatie tussen de leraar en de leerling frontaal - de rol van de leraar is het leveren van kennis aan de leerling. Er is enige samenwerking tussen de leerlingen. Leerkrachten beschikken niet over voldoende kennis en vaardigheden voor een effectieve benutting van ICT. In veel gevallen zijn docenten minder deskundig dan hun leerlingen. Bovendien bevinden de leerkrachten zich in een situatie waarin zij niet langer de belangrijkste bron en bezorger van informatie zijn. In dit verband moeten leerkrachten goed worden opgeleid om de leercapaciteiten van de leerlingen te ontwikkelen. De vaardigheden die nodig zijn om computers als leermiddel te gebruiken, d.w.z. een kritische geest te ontwikkelen, lijnen te trekken tussen verschillende bronnen en soorten informatie, en leerlingen te helpen hun kennis op te bouwen met ICT.

Traditionele Leraar-leerling relatie:

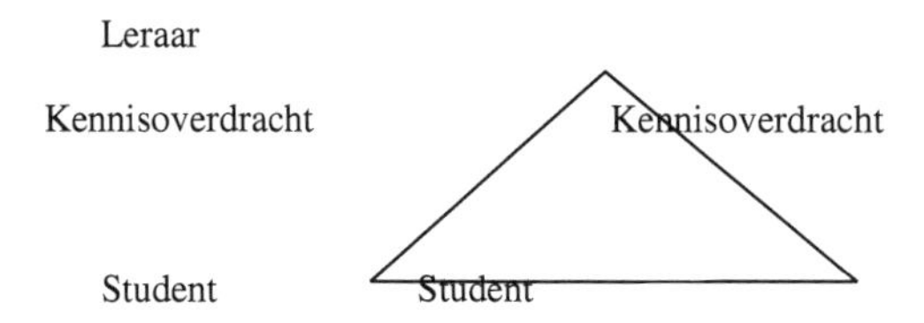

Moderne Lerarenleerling relatie:

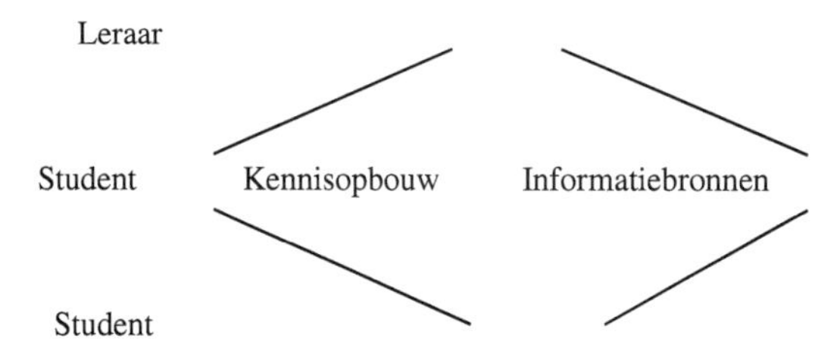

Het is essentieel dat er meer mogelijkheden zijn voor studenten om deel te nemen aan het leerproces, meer teamwerk, meer zelfstudie en zelfevaluatie, evenals meer peer-evaluatie en minder examengericht onderwijs en leren. Men is van mening dat ICT's kunnen helpen bij het bevorderen van meer leerlinggericht en interactief leren. De nieuwe technologieën hebben een enorm potentieel om het onderwijs te revolutioneren. Het is duidelijk dat de monopolies die scholen als aanbieders van formeel onderwijs genieten, zullen afnemen.

Veranderingen in het curriculum, de onderwijsmethoden en de rol van de leerkracht worden in de tabel weergegeven:

Curriculum	**Wijze van lesgeven**	**Rol van de leraar**
Focus op leren	Interessanter en interactiever	Facilitator en instructeur
Flexibeler en sneller bijgewerkt	Technologiegericht	Producent, beheerder en gebruiker van kennis
Verscheidenheid aan opdrachten	Vaardigheidsgerichte	Gids
Verschillende evaluatie-instrumenten	Op basis van activiteit	Coach en mentor
Onmiddellijke terugkoppeling	Experimenteren, onderzoek	Onderzoeker

1.3) Netiquetten, juridische en ethische kwesties bij het gebruik van ICT

Netiquetten:

De etiquetterichtlijnen die het gedrag regelen bij het communiceren op het internet zijn bekend geworden als netiquette. Netiquette omvat niet alleen gedragsregels tijdens discussies, maar ook richtlijnen die het unieke elektronische karakter van het medium weerspiegelen.

Netiquette wordt meestal afgedwongen door collega-gebruikers die snel op overtredingen van de netiquetteregels wijzen.

1. 1. Mis niet het internet te gebruiken om te treiteren of te bedriegen: 2. Geef altijd authentieke informatie en echte informatie aan iemand. 2. Bedrieg niet door verkeerde informatie te plaatsen of te uploaden.

2. Niet plagiaat plegen. Iemand is lang bezig geweest met het bedenken van de inhoud. Als je iets van iemand leent, geef hem dan de eer. Plaats hun naam of hun site. Geef de site wanneer je je informatie hebt gekregen.

3. 3. Gebruik de juiste offertes en gebruik altijd de hele offerte. Haal citaten niet uit hun context en wees niet selectief over welk deel van het citaat u wilt gebruiken.

4. 4. Roep geen roddels op en houd persoonlijke informatie persoonlijk. 5. Vertel geen verhalen waarvan je niet weet dat ze waar zijn. En vaak, alleen omdat het waar is, betekent dat niet dat het hoeft te worden herhaald.

5. Steel die foto's niet van het web, zelfs niet als ze perfect passen bij wat je nodig hebt. De kans is groot dat ze auteursrechtelijk beschermd zijn en dat iemand er lang over heeft gedaan om dat in elkaar te zetten. Krijg toestemming en geef krediet waar krediet verschuldigd is.

6. 6. Let op uw taal

7. Wees geduldig met internet newbie. Weet dat ze net zo leren als jij ooit deed.

8. Geen spammen. Vergeet niet dat spam ongewenste elektronische berichten zijn, of het steeds opnieuw versturen van hetzelfde elektronische bericht. Dit kan je op sommige sites in de problemen brengen en in de regel irriteert het gewoon iedereen.

9. Als u een header gebruikt (zoals in een e-mail), zorg er dan voor dat uw inhoud echt betrekking heeft op de header. Je moet toegeven dat het echt zou stinken als de header bijvoorbeeld iets over voetbal zou zeggen en de e-mail echt over je nieuwste en grootste zakelijke idee ging. Blijf gewoon bij het onderwerp en het probleem is opgelost.

10. 10. Neem een onderwerpregel op. 11. Geef een beschrijvende zin in de onderwerpregel van het bericht dat het onderwerp van het bericht vertelt (niet alleen Hi, daar!).

11. 11. Respecteer de privacy van anderen. Citeer of stuur geen persoonlijke e-mail door zonder toestemming van de oorspronkelijke auteur.

12. 12. Bevestig en stuur de berichten onmiddellijk terug.

13. Kopieer met de nodige voorzichtigheid. Kopieer niet iedereen die je kent op elk bericht.

14. 14. Gebruik de juiste taal:

1) Vermijd grof, ruw of onbeleefd taalgebruik.

2) Let op een goede grammatica en spelling.

15. 15. Gebruik passende emoticons (emotiepictogrammen) om betekenis over te brengen. 16. Gebruik smileys of leestekens zoals :-) om emoties over te brengen.

Juridische en ethische kwesties

1) Cyberpesten: Het omvat het bedreigen, lastigvallen of vernederen van een kind door sommige andere kinderen met het gebruik van internet. Via sociale netwerksites proberen sommige kinderen andere kinderen lastig te vallen of bang te maken in de deugd van het nemen van wraak. Veel van dit soort gevallen worden geregistreerd volgens het rapport van het cybercriminaliteitsbureau.

2)Onbevoegde toegang tot bepaalde websites: Sommige websites zijn geblokkeerd of niet bruikbaar voor een bepaalde leeftijdsgroep van kinderen, maar door dat te hacken of zonder toestemming proberen kinderen die websites te gebruiken en proberen toegang te krijgen tot video's, is informatie ook een van de grootste problemen.

3) Plagiaat: Het kopiëren van de informatie van iemand en het publiceren van dezelfde informatie met je eigen naam zonder de naam van de oorspronkelijke auteur te noemen staat bekend als plagiaat. Het gebruik van informatie van iemand is geen probleem, maar zonder de naam van de persoon te noemen, is het publiceren van de informatie het grootste probleem.

4) Smaad: Het dekt slank en smaad. Slanke verwijzingen naar de valse verklaring die wordt afgelegd om de reputatie van een persoon te schaden en laster betekent het publiceren van die verklaringen in een vast medium zoals in geschreven vorm op sociale netwerksites of het citeren van die in toespraken.

5)Opsplitsing Communicatie: Nu steeds meer huishoudens computers bezitten en talloze draagbare apparaten toegang geven tot informatie en amusement, wat leidt tot een gebrek aan communicatie binnen het gezin. U ziet hele gezinnen die uit eten gaan nog steeds in touchscreens staren in plaats van met elkaar te praten.

6) Identiteitsdiefstal: De frauduleuze activiteiten zijn het identificeren van diefstal waarbij persoonlijke gegevens van onschuldige mensen worden geoogst door een derde partij, zodat ze kunnen worden gebruikt voor kwaadwillende doeleinden.

7) Gamming Addiction: Computers en internet hebben het gemakkelijker gemaakt voor gokverslaafden om hun persoonlijke informatie te krijgen door hen te laten reageren op bepaalde vragen voor het spelen van videospelletjes.

8) Privacy: online identiteitsdiefstal en -fraude hebben ervoor gezorgd dat mensen voorzichtiger zijn geworden over hoe ze hun persoonlijke informatie gebruiken, kwesties van privacy en gebrek aan waardering voor hun risico's zijn nog steeds wijdverspreid. Dit gaat verder dan het eenvoudigweg weggeven van privégegevens via chatrooms, message boards en e-commerce websites en strekt zich uit tot de wereld van de sociale media. Werkgevers combineren nu Facebook en twitter om achtergrondcontroles uit te voeren op potentiële werknemers, waarbij ze aandacht besteden aan degenen die er niet voor hebben gekozen om privacy-instellingen te gebruiken om te voorkomen dat iemand een kijkje neemt in hun gegevens.

9) Gezondheid en fitness: We leven steeds meer in een sedentaire levenswijze, omdat computers ons niet meer nodig hebben om vele taken fysiek uit te voeren en ons gedurende werkdagen en in onze vrije tijd op één plek te houden. Dit leidt tot een epidemie van obesitas bij kinderen en volwassenen.

10) Verspreiding van het virus: Bij het openen van sommige online websites, het zoeken van sommige video's en audio's, komt het virus in onze personal computers (PC).

11) Digitaal eigendom: Het digitale medium heeft ervoor gezorgd dat de informatie vrijer kan stromen dan voorheen. Deze uitwisseling van ideeën gaat gepaard met juridische en ethische tegenwerking. Dingen kunnen gemakkelijk online worden gekopieerd en geplakt, waardoor intellectueel eigendom moeilijk te controleren is.

12) Gegevens verzamelen: Op een bepaald niveau weet iedereen dat hun online leven wordt gemonitord, maar ze weten niet hoe hun gegevens worden gebruikt. Sommige landen hebben wetgeving aangenomen die het de overheid mogelijk maakt om in naam van het land actief toezicht te houden op particuliere burgers.

13) Internetfraude: Valse reclame van personen en bedrijf wordt getoond in computers wanneer een persoon iets van internet surft. Ze doen fraude met mensen door deze foute advertenties.

14) Vlammend: Het is niets anders dan het sturen van haatberichten door het gebruik van slechte taal.

Hoofdstuk-2: Webgebaseerd leren

2.1) E - Leren, concept, kenmerken en educatieve toepassing (HOT POTATO)

Het begrijpen van e-Learning is eenvoudig. E-learning is leren met behulp van elektronische technologieën om toegang te krijgen tot het onderwijscurriculum buiten een traditioneel klaslokaal. In de meeste gevallen verwijst het naar een cursus, programma of graad die volledig online wordt gegeven. Heel eenvoudig: E-learning is elektronisch leren, en meestal betekent dit dat een computer wordt gebruikt om een deel of het geheel van een cursus af te leveren, of het nu in een school is, een deel van uw verplichte bedrijfstraining of een volledige cursus voor afstandsonderwijs.

In het begin kreeg het een slechte pers, omdat veel mensen dachten dat het in de klas brengen van computers dat menselijke element zou verwijderen dat sommige leerlingen nodig hebben, maar naarmate de tijd vorderde heeft de technologie zich ontwikkeld, en nu omarmen we smart-phones en tablets in de klas en op kantoor, evenals het gebruik van een schat aan interactieve ontwerpen die afstandsonderwijs niet alleen boeiend maakt voor de gebruikers, maar ook waardevol als een medium voor het geven van lessen.

Eigenschappen:

Bied meer geïndividualiseerde instructie aan: Leerlingen hebben de mogelijkheid om te leren in hun eigen tempo en op tijdstippen die passen bij hun agenda. Daarnaast hebben ze de mogelijkheid om door de inhoud heen te bladeren en te kiezen wat belangrijk is voor hun werk of wat ze vinden dat ze niet goed onderwijs hebben genoten. Ze hoeven niet langer urenlang in een klaslokaal te zitten om de een of twee concepten op te pikken die ze toevallig missen.

Zorg voor een meer consistente Course Delivery: Net als bij een live-optreden is de klassikale training elke keer dat deze wordt gegeven iets anders; de instructeurs variëren de manier waarop ze het materiaal presenteren elke keer dat ze een bepaalde les geven. E-Learning is als een opgenomen of opgenomen voorstelling. Het maakt niet uit hoe vaak de les of leermodule wordt gepresenteerd, het zal niet veranderen of variëren. Dit leidt tot een zeer consistente levering van materiaal dat niet mogelijk is in een traditionele klassikale aanpak. Dit maakt het ideaal voor compliance training

Beter geschikt voor geografisch diverse medewerkers: E-Learning is flexibel. Het is een eigenzinnige manier van werken en kan op elk moment en elke plaats plaatsvinden. Als zodanig is het bij uitstek geschikt voor het opleiden van medewerkers die wereldwijd verspreid zijn. E-Learning is eenvoudig aan te passen (vooral web delivered content) waardoor het beter geschikt is voor vertaling en verandering van content voor verschillende culturen en talen.

Bespaart tijd zonder kwaliteit op te offeren: Honderden onafhankelijke studies hebben aangetoond dat E-Learning een tijdsbesparing van 35-45% heeft opgeleverd ten opzichte van het traditionele klassikale onderwijs en tegelijkertijd een gelijkwaardige of betere winst in het onderwijs heeft opgeleverd. In feite heeft het comprimeren van de trainingstijd de meest zichtbare impact in het leveren van besparingen op de lonen die aan training worden besteed, maar ook besparingen op opportuniteitskosten voor verkopers en andere topproducenten. Het is kosteneffectiever. Hoewel de initiële kosten voor de ontwikkeling van een eLearning-cursus aanzienlijk hoger kunnen zijn dan die van een traditionele opleiding, worden deze kosten ruimschoots gecompenseerd door de besparingen op de uitvoering en de levering van de cursus. Dit geldt met name wanneer de cursus wordt gegeven aan een grote en geografisch diverse groep studenten. Kijk zelf maar:

Toepassing (HOT POTATO): Het doel van de Hot Potatoes is om u in staat te stellen interactieve webgebaseerde onderwijsoefeningen te maken, die kunnen worden geleverd aan elke computer met een internetverbinding die is uitgerust met een browser. Het onderzoeks- en ontwikkelingsteam van de Universiteit van Victoria heeft dit gecreëerd.

Er zijn vijf basisprogramma's in de Hot Potatoes suite:

1) Het **JQuiz-programma** maakt vraaggestuurde quizzen. De vragen kunnen van vier verschillende types zijn, waaronder meerkeuzevragen en korte antwoorden. Er kan specifieke feedback worden gegeven voor zowel de juiste antwoorden als de voorspelde foute antwoorden of afleiders. Bij de korte-antwoordvragen wordt de leerling intelligent ontleed en krijgt hij/zij nuttige feedback om te laten zien welk deel van een gok goed is en welk deel fout. De leerling kan een hint vragen in de vorm van een vrije brief van het antwoord.

2) Het **JCloze programma** zorgt voor kloofvullende oefeningen. Voor elke lacune kan een onbeperkt aantal juiste antwoorden worden opgegeven, en de leerling kan een hint vragen en een letter van het juiste antwoord zien. Een specifieke aanwijzing kan ook worden opgenomen voor elke hiaat. Er wordt ook automatisch gescoord. Het programma maakt het mogelijk om geselecteerde woorden te kloppen, of het automatisch kloppen van elk n-de woord in een tekst.

3) Het **JCross programma** maakt kruiswoordpuzzels die online kunnen worden ingevuld. U kunt gebruik maken van een raster van vrijwel elke grootte. Net als bij JQuiz en JCloze kan de leerling met een hint-knop een gratis letter aanvragen als er hulp nodig is.

4) Het **JMix-programma** maakt rommelige zinsoefeningen. U kunt zoveel verschillende juiste antwoorden opgeven als u wilt, op basis van de woorden en interpunctie in de basiszin en een hint-knop vraagt de cursist desgewenst naar het volgende juiste woord of segment van de zin.

5) Het **JMatch-programma** maakt matching- of besteloefeningen. Aan de linkerkant verschijnt een lijst met vaste items (dit kunnen foto's of tekst zijn), met aan de rechterkant rommelige items.

Dit kan worden gebruikt voor het matchen van woordenschat met foto's of vertalingen, of voor het bestellen van zinnen om een sequentie of een gesprek te vormen.

Daarnaast is er een zesde programma dat de **Masher** heet. Dit is ontworpen om in één eenvoudige handeling complete materiaaleenheden te maken. Als u reeksen van oefeningen en andere pagina's maakt die een eenheid zouden moeten vormen, kunt u de Masher nuttig vinden.

Uitdagingen:

- ✓ Aanpassingsvermogen strijd
- ✓ Technische kwesties
- ✓ Gebrek aan computerkennis
- ✓ Gebrek aan trainingsfaciliteiten
- ✓ Gebrek aan zelfmotivatie
- ✓ Te veel inhoud
- ✓ Tijdslimieten
- ✓ Ontwerp E-learningcursussen en syllabus op basis van de behoefte van de studenten
- ✓ Schrijven voor een gevarieerd publiek
- ✓ Authenticiteit van de informatie

2.2) Online leermiddelen - E-bibliotheek, websites en web 2.0 technologie

Naarmate de technologie vordert, zijn veel problemen in verband met het onderwijs opgelost. De mensen hebben vroeger veel boeken of gedrukte media doorverwezen om de informatie te krijgen, maar de technologie heeft online middelen gebracht die het probleem hebben opgelost. Eerder zijn er beperkte middelen beschikbaar in de vorm van boeken, tijdschriften, tijdschriften en om deze middelen door te verwijzen waren er meer mensen. Daarom kon niet iedereen de gelijke kansen krijgen om toegang te krijgen tot deze bronnen. De e-middelen hebben dit probleem opgelost en nu kan iedereen in hetzelfde tempo en dezelfde tijd naar de middelen verwijzen. Er zijn veel bronnen waardoor men toegang kan krijgen tot de informatie; ze zijn in grote lijnen geclassificeerd als online bronnen en offline bronnen.

Online e-middelen: e-boeken, e-tijdschriften, e-mails, e-bibliotheek, e-forums, zoekmachine, websites, e-dictionaries, meta-zoekmachines, e-winkels, e-learningpakketten, enz.

Offline middelen: CD, Offline boeken, Offline woordenboeken, MS Office, Training Software gedownloade applicaties etc.

De ontwikkeling van deze middelen vraagt om twee belangrijke zaken, namelijk kennis over computer en internet en kennis over de inhoud waarvoor de middelen moeten worden gegenereerd.

1) Online Bibliotheek of Digitale Bibliotheek of E-bibliotheek:

Bibliotheek is het fundamenteel georganiseerde geheel van middelen dat zowel menselijke diensten als media omvat.

Bibliotheek bedient drie rollen

1. 1. Het delen van ervaringsbronnen

2. 2. Het bewaren en organiseren van ideeën

3. 3. Mensen en ideeën samenbrengen

Een digitale bibliotheek is een speciale bibliotheek met een gerichte collectie van digitale objecten die tekst, beeldmateriaal, audiomateriaal, videomateriaal, opgeslagen als elektronische mediaformaten (in tegenstelling tot print, microform of andere media) kan bevatten, samen met middelen voor het organiseren, opslaan en ophalen van de bestanden en media die in de bibliotheekcollectie aanwezig zijn.

Het is een website die 24 uur per dag online toegang biedt tot gedigitaliseerde audio, video's en geschreven materiaal zoals boeken, tijdschriften, romans, artikelen, E-dictionaries enz.

Een informele definitie van een digitale bibliotheek is een beheerde verzameling van informatie, met bijbehorende diensten, waarbij de informatie in digitale formaten wordt opgeslagen en toegankelijk is via een netwerk. Een belangrijk onderdeel van deze definitie is dat de informatie wordt beheerd. Een gegevensstroom die vanaf een satelliet naar de aarde wordt gestuurd, is geen bibliotheek. Dezelfde gegevens worden, wanneer ze systematisch worden georganiseerd, een digitale bibliotheekcollectie. De meeste mensen zouden een database met financiële gegevens van één bedrijf niet als een digitale bibliotheek beschouwen, maar zouden een verzameling van dergelijke informatie van veel bedrijven accepteren als onderdeel van een bibliotheek. Digitale bibliotheken bevatten diverse verzamelingen van informatie voor gebruik door veel verschillende gebruikers. Digitale bibliotheken variëren in grootte van klein tot groot. Ze kunnen elk type computerapparatuur en elke geschikte software gebruiken. Het verbindende thema is dat informatie op computers is georganiseerd en beschikbaar is via een netwerk, met procedures om het materiaal in de collecties te selecteren, te organiseren, beschikbaar te stellen aan gebruikers en te archiveren.

In sommige opzichten zijn digitale bibliotheken heel anders dan de traditionele bibliotheken, maar in andere opzichten lijken ze opvallend veel op elkaar. Mensen veranderen niet omdat er nieuwe technologie wordt uitgevonden. Ze blijven informatie die moet worden georganiseerd, opgeslagen en gedistribueerd. Ze moeten nog steeds informatie vinden die anderen hebben gemaakt, en deze gebruiken voor studie, referentie of vermaak.

De vorm waarin de informatie wordt uitgedrukt en de methoden die worden gebruikt om deze te beheren worden echter sterk beïnvloed door de technologie en dit zorgt voor verandering. Elk jaar groeit de hoeveelheid en de verscheidenheid van de collecties die in digitale vorm beschikbaar zijn, terwijl de ondersteunende technologie gestaag blijft verbeteren. Cumulatief gezien stimuleren deze veranderingen fundamentele veranderingen in de manier waarop mensen informatie creëren en hoe ze deze gebruiken.

Om deze krachten te begrijpen is inzicht nodig in de mensen die de bibliotheken ontwikkelen. De technologie heeft het tempo bepaald waarin digitale bibliotheken zich hebben kunnen ontwikkelen, maar de manier waarop de technologie wordt gebruikt is afhankelijk van de mensen. Twee belangrijke gemeenschappen zijn de bron van veel van deze vernieuwing. De ene groep is de informatieprofessionals. Zij omvatten bibliothecarissen, uitgevers en een breed scala aan informatieverstrekkers, zoals indexerings- en abstraheringsdiensten. De andere gemeenschap bestaat uit de informatica-onderzoekers en hun nakomelingen, de internetontwikkelaars. Tot voor kort hadden deze twee gemeenschappen weinig interactie; zelfs nu is het gebruikelijk om een computerwetenschapper te vinden die niets weet van de basishulpmiddelen van het bibliotheekwezen, of een bibliothecaris wiens concepten van informatieontsluiting jarenlang verouderd zijn. De laatste jaren is er echter veel meer samenwerking en begrip.

Hier zijn enkele van de potentiële **voordelen** van digitale bibliotheken.

1. **De digitale bibliotheek brengt de bibliotheek naar de gebruiker**

Voor het gebruik van een bibliotheek is toegang nodig. Traditionele methoden vereisen dat de gebruiker naar de bibliotheek gaat. In een universiteit duurt de wandeling naar een bibliotheek een paar minuten, maar niet veel mensen zijn lid van een universiteit of hebben een bibliotheek in de buurt. Veel ingenieurs of artsen voeren hun werk uit met een deprimerend slechte toegang tot de meest recente informatie. Een digitale bibliotheek brengt de informatie naar de gebruikersbalie, op het werk of thuis, waardoor deze makkelijker te gebruiken is en het gebruik ervan dus toeneemt. Met een digitale bibliotheek op het bureaublad hoeft een gebruiker nooit een bibliotheekgebouw te bezoeken. De bibliotheek is overal waar een personal computer en een netwerkverbinding is.

2. **2. Informatie kan worden gedeeld**

Bibliotheken en archieven bevatten veel informatie die uniek is. Het plaatsen van digitale informatie op een netwerk maakt het beschikbaar voor iedereen. Veel digitale bibliotheken of elektronische publicaties worden op één centrale plaats onderhouden, misschien met een paar duplicaten die op strategische wijze over de hele wereld zijn geplaatst. Dit is een enorme verbetering ten opzichte van dure fysieke duplicatie van weinig gebruikt materiaal, of het ongemak van uniek materiaal dat onbereikbaar is zonder naar de locatie te reizen waar het is opgeslagen.

3. **3. Informatie is gemakkelijker actueel te houden**

Veel belangrijke informatie moet voortdurend worden geactualiseerd. Gedrukt materiaal is lastig bij te werken, omdat het hele document opnieuw moet worden afgedrukt; alle kopieën van de oude versie moeten worden opgespoord en vervangen. Het actueel houden van informatie is veel minder problematisch als de definitieve versie in digitaal formaat is en op een centrale computer is opgeslagen. Veel bibliotheken bieden online de tekst van naslagwerken aan, zoals mappen of encyclopedieën. Wanneer er herzieningen worden ontvangen van de uitgever, worden deze op de computer van de bibliotheek geïnstalleerd. De nieuwe versies zijn direct beschikbaar.

4. **De informatie is altijd beschikbaar**

De deuren van de digitale bibliotheek gaan nooit dicht; uit een recente studie aan een Britse universiteit bleek dat ongeveer de helft van het gebruik van bibliotheken, digitale collecties op de uren dat de bibliotheekgebouwen gesloten waren. Materialen worden nooit uitgecheckt aan andere lezers, worden nooit op de plank gelegd of gestolen; ze bevinden zich nooit in een magazijn buiten de campus. De omvang van de collecties breidt zich uit tot buiten de muren van de bibliotheek. Privé-papieren in een kantoor of de collecties van een bibliotheek aan de andere kant van de wereld zijn net zo makkelijk te gebruiken als materialen in de lokale bibliotheek. Digitale bibliotheken zijn niet perfect. Computersystemen kunnen uitvallen en netwerken kunnen traag of onbetrouwbaar zijn, maar in vergelijking met een traditionele bibliotheek is het veel waarschijnlijker dat informatie beschikbaar is wanneer en waar de gebruiker het wil.

5. **Nieuwe vormen van informatie worden mogelijk**

Het grootste deel van wat in een conventionele bibliotheek is opgeslagen, wordt op papier afgedrukt, maar afdrukken is niet altijd de beste manier om informatie vast te leggen en te verspreiden. Een database kan de beste manier zijn om volkstellingsgegevens op te slaan, zodat deze met de computer kunnen worden geanalyseerd; satellietgegevens kunnen op veel verschillende manieren worden weergegeven; een wiskundebibliotheek kan wiskundige uitdrukkingen opslaan, niet als inkttekens op papier maar als computersymbolen die door programma's als Mathematica of Maple kunnen worden gemanipuleerd.

Zelfs wanneer de formaten vergelijkbaar zijn, zijn materialen die expliciet voor de digitale wereld zijn gemaakt niet hetzelfde als materialen die oorspronkelijk voor papier of andere media zijn ontworpen. Woorden die worden gesproken hebben een andere impact dan woorden die worden geschreven, en online tekstueel materiaal is subtiel anders dan het gesproken of gedrukte woord. Goede auteurs gebruiken woorden anders als ze voor verschillende media schrijven en gebruikers vinden nieuwe manieren om de informatie te gebruiken. Materiaal dat gemaakt is voor de digitale wereld kan een vitaliteit hebben die ontbreekt in materiaal dat mechanisch is omgezet naar digitale formaten, net zoals een speelfilm er nooit goed uitziet als hij op televisie wordt vertoond.

Er is speciale software ontwikkeld door het INFLIBNET (Information Library Network) die alle handelingen van de bibliotheek in e-vorm beheert. De software is SOUL (Software voor de Universiteitsbibliotheek). Deze software helpt de gebruiker om 1) de volgende informatie te identificeren, 2) het aantal verzamelde boeken, tijdschriften, tijdschriften, 3) de datum van uitgifte en teruggave, 4) de boeken met de titel of de naam van de auteur te achterhalen, 5) de e-bibliotheek meermaals te gebruiken en 6) de traditionele bibliotheek heeft een beperkte opslagruimte in vergelijking met de e-bibliotheek.

2) Web 2.0 Technologieën

Web 2.0 gaat over revolutionaire nieuwe manieren om online gegenereerde content te creëren, samen te werken, te bewerken en te delen. Het gaat ook over gebruiksgemak. Het is niet nodig om te downloaden en docenten en studenten kunnen veel van deze tools in enkele minuten onder de knie krijgen. Technologie is nog nooit zo eenvoudig en toegankelijk geweest als nu. Het is een verbeterde versie van WWW. Het verwijst naar veranderingen in de manier waarop webpagina's door gebruikers worden gebruikt, zonder dat de technische specificaties worden gewijzigd.

Voorbeelden:

Gehoste diensten: Google-kaarten

Webapplicaties: Google-documenten, flikkering

Videodelingssites: Je tube

Wiki's: Media-wiki

Blogs: woordpers

Sociale netwerken: facebook, wandelen, instagram etc...

Micro-blogging: Twitter

Eigenschappen:

- Het biedt een platform voor gebruikers om met mensen te communiceren.
- Het stelt de gebruiker in staat om dynamische informatie te classificeren en te vinden.
- Gebruikers van de site kunnen inhoud toevoegen die anderen kunnen zien.
- Het concept is veranderd, zoals read only web om web te lezen en te schrijven.
- Het heeft de ideeën veranderd van passieve naar actieve deelname aan het creëren en delen van informatie.
-

Voordelen:

- ❖ Altijd en overal beschikbaar
- ❖ Verscheidenheid aan media
- ❖ Gebruiksgemak
- ❖ Studenten actief betrokken bij kennisopbouw
- ❖ Creëer een dynamische leeromgeving en een wereldwijde gemeenschap
- ❖ Iedereen kan auteur of schrijver worden
- ❖ Snelle updates

3) Website

Het is de verzameling van WebPages. Het is zeer eenvoudig te maken en gebruiksvriendelijk. Iedereen kan zijn of haar informatie op de website updaten. Er zijn enkele online applicaties beschikbaar die het mogelijk maken om dergelijke websites gratis te maken. Het is een verzameling van pagina's op WWW die specifieke informatie bevatten die door één persoon of hele groep wordt verstrekt en die terug te voeren zijn op een gemeenschappelijke uniforme bronlocatie (URL).

Voorbeelden:

Moodles

Het is een cursusmanagementsysteem of virtuele leeromgeving. Het is een gratis webapplicatie die docenten gebruiken om effectieve online leerpakketten te maken.

Audacity

Het zijn audiogereedschappen waar men live audio kan opnemen, bewerken, knippen of kopiëren. Het zet ook tapes en opnames om in digitale opnames. Het is ook nuttig bij het veranderen van de toonhoogte en de snelheid van het opgenomen of beschikbare geluid.

KIDBLOG

Ontworpen voor de kinderen waar men de blog kan aanmaken en die beheerd moet worden door de leerkrachten van de school.

Doodle: Deze tool is vooral bedoeld om de evenementen of afspraken te plannen.

Onderdelen van websites:

Een website kan op veel verschillende manieren worden opgedeeld. U kunt het ontwikkelingsproces opsplitsen in fasen, of u kunt naar de afzonderlijke onderdelen kijken. Maar een website is niet zoals een auto. De onderdelen schroeven niet in elkaar of vallen op dezelfde manier uit elkaar. Wat een website doet werken is de interactie tussen onderdelen die in de ruimte en eventueel in de tijd gescheiden zijn. Sommige stukken zijn meer theoretisch, zoals de lay-out en de navigatiestructuur. Het is net als het frame van de auto, behalve dat je het frame niet echt kunt zien. Alleen de dingen die eraan hangen.

Er zijn twee soorten onderdelen van websites met een voor- en achterkant. In deze analogie is de voorkant wat je ziet, de achterkant wat je niet ziet. Simpel genoeg, behalve dat je de navigatiestructuur niet echt kunt zien, niet allemaal tegelijk. Maar het is een plek om te beginnen.

Front End Elements:

- **De navigatiestructuur.** Dit is niet hetzelfde als de sitemap, maar dat zou het wel eens kunnen voorstellen. De navigatiestructuur is de volgorde van de pagina's, de verzameling van welke links naar wat. Meestal wordt deze samengehouden door minstens één navigatiemenu.

- **De pagina-indeling.** Dit is de manier waarop de dingen op de pagina verschijnen. Staat het navigatiemenu aan de bovenkant of aan de zijkant? Zijn er afbeeldingen boven het tekstgebied? Tabellen? Een goede lay-out is net zo belangrijk als elk ander element van het ontwerp. Een slechte lay-out zorgt ervoor dat een website er druk en slap uitziet. Een goede lay-out zorgt ervoor dat het oog gemakkelijk kan vinden wat het zoekt.

- **Logo.** Een goede website heeft een verenigde grafiek waarrond het is gebouwd. De grafiek staat voor uw bedrijf, uw organisatie. Het stelt vaak het kleurenschema en de gebruikte stijlelementen op. Het logo verbindt de website met alles wat uw bedrijf verder doet, door middel van het drukwerk, de borden, wat dan ook.

- **Beelden.** Foto's, grafieken, navigatiebalken, lijnen en bloei, animaties kunnen allemaal op een website worden geplaatst om het tot leven te brengen. Of, in sommige gevallen, begraaf het.

- **Inhoud.** Er zijn maar weinig websites die alleen maar bekeken hoeven te worden. Het internet begon als een methode om informatie te delen. Toen het zich ontwikkelde tot het World Wide Web, werd het rijk aan allerlei media. Maar het bestaat nog steeds in de eerste plaats om te communiceren. Goed geschreven internet-klare tekst is een speciaal soort tekst. Meestal wordt de informatie in leesbare brokken gebroken. Het is geformatteerd om gemakkelijk te kunnen worden gescand, en het is vaak geoptimaliseerd voor zoekmachines en menselijke ogen.

- **Grafisch ontwerp.** Veel van de beschreven elementen, zoals het logo, de navigatiemenu's, de lay-out, afbeeldingen, etc., vallen onder de algemene categorie van het grafisch ontwerp. Maar grafisch ontwerp is meer dan de som van deze onderdelen. Het is de algemene look en feel die de website zal hebben als gevolg van het juiste gebruik en de integratie van al deze elementen. Een website met een slecht grafisch ontwerp is meestal voor iedereen duidelijk, behalve voor degene die hem samenstelt. Maar het goed doen van grafisch ontwerp vergt een speciale combinatie van talent, vaardigheid en opleiding.

Achtereind-elementen.

- **Content Management Systeem.** Dit is de mogelijkheid om uw website te updaten zonder de html direct te hoeven bewerken. Een robuust content management systeem maakt het mogelijk om documenten voor te bereiden, te bewerken, goed te keuren en te volgen vóór publicatie. Eenvoudige systemen maken gebieden op een webpagina aan die gemakkelijk op regelmatige basis kunnen worden gewijzigd.

- **E-Commerce.** Het kopen van artikelen op het internet komt steeds vaker voor. Het internet stelt kleine handelaren in staat om een wereldwijd publiek te bereiken, terwijl andere retailers in staat zijn om enorme voorraden met een enorme variëteit te onderhouden. Nieuwe niveaus van gemak zijn mogelijk, zoals het huren van dvd's en spelletjes per postorder. De eenvoudige mogelijkheid om veilig creditcardtransacties via het internet te verwerken is waar dit proces begint.

- **Winkelwagen.** Als u één of twee producten heeft, is het prima als bezoekers een paar keer klikken, informatie invullen en het product kopen. Als je veel verschillende dingen te koop hebt, heb je een winkelwagen nodig. Dit is slechts een manier voor bezoekers om verschillende items uit te kiezen en een enkele aankoop te doen aan het einde van het proces.

- **Site zoeken.** Tussen alle informatie op het web vond iemand de jouwe met een simpele zoekopdracht en een paar klikken. Wilt u dat ze vertragen en door de pagina's en pagina's tekst ploeteren om datgene te vinden wat ze zoeken? Alleen als u negen van de tien bezoekers wilt verliezen.

- **Blogfunctie.** Blogs zijn tegenwoordig veel in het nieuws. Blogs kunnen onafhankelijk van elkaar of als onderdeel van uw website worden gemaakt. Sommige contentmanagementsystemen hebben blogmodules. Gespecialiseerde blogsoftware kan worden geïnstalleerd op uw server, of u kunt gebruik maken van blogdiensten.

- **Beeldrotatie.** Het presenteren van nieuwe beelden elke keer dat iemand uw pagina bezoekt geeft een gevoel van leven. Foto's kunnen worden geroteerd, evenals stukken tekst, zoals citaten of servicebeschrijvingen.

- **Chatroom.** Er zijn een aantal manieren om mensen online te laten communiceren. Een bulletinboard stelt mensen in staat om berichten over een onderwerp te plaatsen. stelt gebruikers in staat om in real time heen en weer te gaan met commentaar.

- **Contactformulieren.** De meeste websites hebben een soort van contactformulier nodig. Zelfs als u alleen maar informatie weggeeft, wilt u misschien toch dat mensen u daarvoor bedanken. Het is waarschijnlijker dat u wilt dat er een relatie ontstaat door het bezoeken van de website. Of het nu gaat om handel of politieke organisatie, contactformulieren zijn een uitgangspunt voor interactie.

- **Verwijsformulieren.** Virale marketing neemt vele vormen aan. Als iemand uw site leuk vindt en een gemakkelijke, eenduidige manier heeft om haar vrienden op de hoogte te brengen, dan heeft u uw bezoekers in verkopers veranderd.

- **Inschrijving voor de nieuwsbrief.** Als u het soort inhoud heeft dat periodiek wordt bijgewerkt, zijn er weinig betere manieren om een regelmatig lezerspubliek op te bouwen dan nieuwsbrieven. Nieuwsbrieven houden u op de hoogte van potentiële klanten en houden uw huidige klanten op de hoogte van uw nieuwe producten, diensten of campagnes. De snelste manier om een legitieme nieuwsbriefmailinglijst op te bouwen is door mensen toe te laten zich aan te melden op uw website.

- **Online databases.** Databanken stellen ons in staat om grote hoeveelheden informatie op te slaan, te sorteren, te doorzoeken en weer te geven. Online databases brengen deze technologie naadloos op het web.

- **Wachtwoordbeschermde onderdelen.** Het publieke gedeelte van uw website is een geweldige manier om een gevarieerd publiek te bedienen. Maar wat als u een lidmaatschap heeft dat een betere, uitgebreidere inhoud verdient? Of wat als u wilt dat bepaalde geregistreerde bezoekers online acties kunnen uitvoeren? Misschien heeft u een deel van uw website gereserveerd voor uw eigen interne processen. Dit is eenvoudig te doen door met een wachtwoord beveiligde secties aan te maken.

- **Downloadbare bestanden.** Van eenvoudige flyers tot honderd paginadocumenten, e-books, muziekbestanden en zelfs filmclips kunnen van websites worden gedownload. Dit is een eenvoudige manier om bestanden over de hele wereld te verspreiden.

- **Multi-media.** Sommige websites vragen om meer dan alleen tekst en beeld. Fototours, videoclips, geluidsclips kunnen allemaal bijdragen aan de ervaring als ze goed zijn afgestemd op het type site en het profiel van de doelgroep.

- **Beveiliging.** Allerlei soorten informatie zijn verborgen op websites te vinden. Handelsgeheimen, eigen programmering, creditcardnummers van klanten en alle denkbare persoonlijke gegevens. Persberichten zijn vroegtijdig aan het licht gekomen, strikt interne memo's zijn gelekt, allemaal omdat het internet vele manieren heeft om gegevens bloot te leggen. Als u online informatie doorgeeft die niet voor iedereen bedoeld is, dan wilt u er zeker van zijn dat u het juiste beveiligingsniveau heeft.

Betekenis:

1. 1. Bouwt Crediteuren

Door eenvoudigweg online te zijn, zal uw kleine onderneming aan geloofwaardigheid winnen. Denk aan wanneer u op zoek bent naar een specifiek item; u heeft een snelle Google-zoekopdracht en vindt een website die concurrerend is en geweldige recensies heeft. Dat gezegd hebbende, moet u ervoor zorgen dat u op de hoogte blijft, er professioneel uitziet en in de zoekmachines terechtkomt, anders verliest u die status in een mum van tijd.

2. 2. Eenvoudig in te stellen

Veel kleine ondernemers besteden urenlang aan het bouwen van hun eigen groentje omdat ze het geld niet willen verspillen. Het bouwen en onderhouden van een website is makkelijker dan ooit tevoren met een online website bouwer, je kunt een bekwaam en snel netwerk opzetten in uren. U hoeft niet te vertrouwen op iemand om het voor u te updaten; u kunt hun deskundige database op elk gewenst moment gebruiken om uw site intact te houden.

3. 3. Verlaging van de kosten

Het hebben van een online bedrijf kan de kosten van personeel, winkelhuur, belasting en nutsrekeningen verlagen. U kunt rechtstreeks contact opnemen met de consument en de levering regelen voor een fractie van de prijs. Aan de andere kant, als u een groter bedrijf bent en een intern forum heeft, kunt u communiceren met uw medewerkers, waardoor u geen eindeloze vergaderingen en grote reiskosten hoeft te maken.

4. 4. Verbetert de klantenservice

Het is een bekend feit dat het hebben van een web presence u zal helpen bij het verbeteren van uw klantenservice. Als u een winkeleigenaar bent en personeel heeft, kunt u hen niet 24 uur per dag en 7 dagen per week in de gaten houden hoe ze met hun klanten omgaan. In de online wereld blijft echter niets geheim; u kunt het werk van uw personeel in de gaten houden en ervoor zorgen dat uw klanten een snel en nuttig antwoord krijgen.

5. 5. Maakt uw bedrijf toegankelijk op alle tijdstippen

Een website is 24/7, 365 dagen per jaar beschikbaar voor u en uw klanten. Als ze om 1 uur 's nachts wakker zijn en denken aan een aankoop bij u, kunnen ze op uw site klikken en dit direct doen - een win-win situatie voor iedereen. Het hebben van een online aanwezigheid biedt hen ook het gemak om uw producten en diensten te bekijken wanneer uw winkel of kantoor gesloten is.

6. 6. Een medium om uw werk te laten zien

Het maakt niet uit in wat voor soort industrie je zit; een website is een geweldige manier om je werk te laten zien. U kunt dit doen door middel van een online portfolio, een beeldgalerij en klantreviews. U kunt laten zien waarom uw bedrijf uniek is en feedback geven over uw werk. Neem bijvoorbeeld eBay - de meeste shoppers baseren hun mening op de verkoper na het lezen van recente getuigenissen.

7. 8. Een tijdbesparing

Het is een geweldige tijdbesparing voor de klant en voor uzelf - u hoeft geen producten van en naar uw magazijn naar een winkel te slepen en de klant hoeft niet doelloos door rekken of rekken te lopen om de gewenste aankoop te doen. "Studies tonen aan dat als een consument eenmaal een idee heeft van wat hij of zij nodig heeft of wil, hij of zij begint met onderzoek en 72 procent van hen gaat online om educatief materiaal, recensies en getuigenissen te vinden", aldus een recent rapport over een aankoopreis.

8. 8. Maakt het mogelijk om op de hoogte te blijven

Een web presence is een geweldig platform om u te helpen up-to-date te blijven; u kunt uw informatie updaten en items toevoegen of verwijderen met een druk op de knop (sneller dan u in het echt zou kunnen). Of het nu gaat om het laatste nieuws of de laatste trend, als u snel bent, kunt u uw concurrentie verslaan en als eerste vrijgeven.

9. Helpt u de concurrentie te verslaan

In het verlengde van het vorige voordeel kan een goed gecommercialiseerde site u helpen om marktaandeel te winnen ten koste van uw concurrentie. Om dit te kunnen doen, heeft u een geweldige website nodig die gebruikers een unieke ervaring biedt. Als u geen website heeft, is het zeer waarschijnlijk dat uw concurrent dat wel zal doen, dit betekent dat u het winnen van nieuwe klanten mist en dat u in de voorhoede van hun geesten kunt zitten. Het is cruciaal dat er geen kansen worden gemist en dat er geen kansen worden gemist door de concurrentie.

10. 10. Interactie met uw klanten

Een andere reden voor u om uw bedrijf online te verplaatsen is dat u in staat bent om met uw klanten te communiceren waar en wanneer dan ook. Dit kan zijn door middel van nieuwsupdates, live chat, e-mailconversaties of commentaar op uw pagina. U bent op elk moment beschikbaar om uw deskundig advies te geven en uw kredietwaardigheid te bewijzen.

11. 11. Bouw een lezerspubliek

Het publiceren van nieuws, inhoud en informatie over nieuwe producten en diensten zal u helpen om een enthousiast publiek aan te trekken. Via e-mailmarketing kunt u uw klanten bereiken en ze kortingen en exclusieve toegang bieden die nieuwe consumenten niet zouden hebben.

12. 12. Informatie-uitwisseling

Op zijn eenvoudigst, een website biedt een snelle en gemakkelijke manier om informatie te communiceren tussen kopers en verkopers. U kunt uw openingstijden, contactgegevens, afbeeldingen van uw locatie of producten tonen en contactformulieren gebruiken om vragen van potentiële klanten of feedback van bestaande klanten te vergemakkelijken. U kunt zelfs promotievideo's uploaden om uw klanten echt te betrekken en uw bedrijf op een effectieve en kostenefficiënte manier te verkopen. Dit is ook een goede manier om uw social media kanalen te promoten en een community op te bouwen met uw klanten.

13. 13. Inzichten van de consument

Met behulp van analysetools kunt u vaststellen wie uw typische klant is, hoe hij u heeft gevonden, wat hij leuk vindt en kunt u uw bedrijf aanpassen om de aankopen via uw site te maximaliseren. De diverse beschikbare gegevens kunnen u ook helpen om beter te begrijpen hoe uw sociale-mediakanalen uw merk beïnvloeden, en kunnen zelfs mogelijkheden aan het licht brengen om de offline aspecten van uw bedrijf te veranderen, zoals openingstijden van filialen, promoties en productassortimenten.

14. 14. Reclame
Tools zoals Google AdWords of reclame op Facebook geven u de mogelijkheid om klanten te bereiken met veel meer nauwkeurigheid en betrouwbaarheid dan met traditionele offline reclamemethoden. SEO en online reclame zijn een geweldige manier om te helpen bij het opbouwen van bewustzijn, als het correct wordt gedaan verkeer naar uw website kan zien een toename. Wees het eerste bedrijf dat een potentiële nieuwe klant ziet bij het zoeken naar een specifiek product of dienst online, en gebruik uw website contact pagina of e-commerce functies om de aankoop van een product of het vinden van een verkooppunt gemakkelijker te maken dan ooit tevoren.
15. 15. Klantenservice online
Websites bieden een eenvoudigere manier om met de klantenservice om te gaan. Door antwoorden te geven op regelmatig gestelde vragen in een FAQ (Frequently Asked Questions) sectie, kunt u de kosten van de klantenservice verlagen en uzelf tijd en geld besparen, maar ook veel meer informatie geven. Dit betekent ook dat klanten direct een antwoord kunnen krijgen en bespaart tijd, wat helpt om positieve klantrelaties op de lange termijn te stimuleren. Dit kan een voordeel voor u zijn, alle positieve feedback kan worden geüpload in een testimonial, uw klanten zijn blij waarom niet te laten zien!
16. 16. Groeikans
Websites zijn over het algemeen geweldige manieren om een plaats te bieden waar potentiële investeerders naartoe kunnen worden verwezen. Het laat zien waar uw bedrijf over gaat, wat het heeft bereikt en wat het in de toekomst kan bereiken.

2.3) Verkennen van MOOC voor continu leren

Het is een studie die via het internet gratis ter beschikking wordt gesteld aan een zeer groot aantal mensen. Het is een enorme open online cursus (MOOC), een model voor het leveren van leerinhoud online aan iedereen die een cursus wil volgen, zonder beperking van het aantal deelnemers. Het is een gratis programma voor afstandsonderwijs via het internet dat is ontworpen voor de deelname van grote aantallen geografisch verspreide studenten.

MOOC is een gratis webgebaseerd programma voor afstandsonderwijs, ontworpen voor deelname van een groot aantal geografisch diverse studenten. Het is een online cursus met gratis en open inschrijving met een openbaar gedeeld curriculum. Het is gebaseerd op de betrokkenheid van leerlingen die zelf hun deelname organiseren op basis van leerdoelen, voorkennis, vaardigheden en gemeenschappelijk belang.

Een MOOC kan een patroon hebben op een hogeschool- of universiteitscursus of kan minder gestructureerd zijn. Hoewel MOOC's niet altijd academische studiepunten aanbieden, bieden ze wel onderwijs aan dat certificering, tewerkstelling of verdere studie mogelijk maakt. Het woord MOOC is in 2008 bedacht door Dave Cormier, van de University of Prince Edward Island.

MOOCS biedt cursussen op universitair niveau aan zonder de noodzaak om een volledig studieprogramma af te ronden, en worden steeds populairder.

Ze bieden een groot aantal studenten de mogelijkheid om online cursussen van hoge kwaliteit te volgen aan prestigieuze universiteiten, vaak zonder kosten. Ze zijn ideaal voor zelfstandige studie en gebruikers kunnen cursussen selecteren van elke instelling die hen aanbiedt. MOOCS leiden niet altijd tot formele kwalificaties. Er zijn geen toelatingsvereisten. Ze zijn gebaseerd op video en bieden interactie door middel van peer review en groepssamenwerking of geautomatiseerde feedback door middel van objectieve, online assessments (inclusief quizzen en examens).

Eigenschappen:

- **Autonomie:** MOOC bevordert autonoom leren met een aantal hulpmiddelen in de vorm van video, links, documenten en ruimte voor communicatie.
- **Enorm:** De MOOC-cursus is onbeperkt voor de inschrijving van cursisten met verschillende interesses en aspiraties.
- **Online:** voor het nastreven van dit soort cursussen zijn computes, smartphones, tablets met internetverbinding en een wereldwijde webserver nodig. Studenten leren in hun eigen tempo, altijd en overal.
- **Open en vrij:** Het cursusmateriaal is beschikbaar op het net en is gratis en open voor iedereen. Studenten hoeven zich alleen maar in te schrijven.
- **Natuurlijk:** Het is gestructureerd rond leerdoelen op bepaalde tipo's door interactie tussen studenten en docenten.

Belangrijkheid/doelstellingen:

1. MOOC's brengen mensen van over de hele wereld **samen** en stimuleren de betrokkenheid van personeel en studenten van een bepaalde universiteit/instelling bij de interactie met het grote publiek.

2. 2. MOOC's behouden het concurrentievoordeel. Het aanbieden van diverse lessen over verschillende onderwerpen maakt het voor leerlingen gemakkelijk om op de hoogte te blijven van het laatste nieuws en de laatste trends en om op de hoogte te blijven van hun vakgebied.

3. 3. Leer in je eigen tempo, volgens je eigen schema. Sommige cursussen hebben deadlines voor toetsen en beoordelingen, maar ze zijn gemakkelijk te houden. Meestal heeft men weken de tijd om de quizzen af te maken en het komt niet zelden voor dat leerlingen de optie hebben om een cursus af te maken wanneer ze daar zin in hebben, wanneer ze daar de tijd voor hebben. Met andere woorden, het leren gebeurt in een meer informele omgeving, op een plaats waar het je goed uitkomt en vaak rond je eigen agenda.

4. 4. Kies uw taal! Veel MOOC-lessen worden aangeboden in verschillende talen! Het maakt niet uit of je Engels, Chinees, Frans of Arabisch spreekt. Ondertitels zijn beschikbaar voor honderden cursussen en ze zijn slechts een klik verwijderd.

5. Iedereen kan zich aanmelden voor een MOOC-les. Je hebt geen diploma of voorkennis nodig om een cursus te volgen, alleen de bereidheid om te leren.

6. Geen afstandsbeperkingen. 7. U wilt gratis cursussen volgen die worden aangeboden door universiteiten uit Duitsland, de VS, China en Oostenrijk? Blader dan gewoon door het aanbod over de onderwerpen die u interesseren!

7. 7. **Het bieden van interessante zakelijke mogelijkheden.** Verschillende nieuwe MOOC-bedrijven zijn in 2012 gelanceerd: edX van Harvard en MIT; Coursera, een Standford-bedrijf; en Udacity, dat zich richt op wetenschap en technologie.

8. 8. De lessen aantrekkelijker en zinvoller maken. MOOC's hebben een groot potentieel om kennis en perspectieven uit te breiden.

9. 9. Gedistribueerd leren. Deelnemers helpen elkaar bij het interpreteren van het materiaal, zoeken naar verschillende of verwante bronnen en gebruiken sociale netwerken om hun interpretaties te delen. Door dit gedistribueerd leren krijgen de deelnemers een beter begrip van het materiaal en kunnen ze direct feedback krijgen als er vragen zijn. De student krijgt ook onmiddellijk feedback voor zijn werk.

10. Zowel de leerkracht als de leerling krijgen wereldwijd aandacht om de pedagogische technieken te verbeteren en kennis te delen.

11. Het kan worden gebruikt als een hulpmiddel in het blended learning-programma waar studenten toegang hebben tot meer informatie.

Nadelen:

- Behoefte aan zelfmotivatie
- Heeft toegang tot internet nodig met fatsoenlijke snelheid
- Het overslaan van bepaalde concepten door professoren
- De overdracht van gegevens is duur-noodzakelijke hardware-apparaten
- Individuele aandacht wordt niet gegeven
- Taalbarrière
- Technische kwesties
- Leerlingen met een handicap hebben problemen

Hoofdstuk-3: Geavanceerde trends in ICT

3.1) Virtuele klas: Concept, elementen, verdiensten en gebreken

Concept: Een virtueel klaslokaal is een online leeromgeving. De omgeving is web-based en toegankelijk via een portaal, of software-based en vereist een downloadbaar uitvoerbaar bestand. Net als in een echt klaslokaal neemt een leerling in een virtueel klaslokaal deel aan de synchrone instructie, wat betekent dat de leerkracht en de leerlingen tegelijkertijd zijn ingelogd in de virtuele leeromgeving. Het virtuele klaslokaal is een klaslokaal dat gebaseerd is op het online lesgeven van elke leraar door het gebruik van elk technisch apparaat op een reguliere klaslokaal. Het heeft bepaalde voors en tegens in het leerproces van het onderwijs.

Definitie

Een virtueel klaslokaal is een online klaslokaal waar de deelnemers met elkaar kunnen communiceren, presentaties of video's kunnen bekijken, met andere deelnemers kunnen communiceren en zich in werkgroepen met middelen kunnen bezighouden.

Het wordt op grote schaal gebruikt om verschillende soorten van blootstelling te bieden in het leren door te luisteren naar verschillende leerkrachten. Het onderwijs van de leerkrachten wordt eenmalig opgenomen en kan door de leerlingen worden bekeken en beoordeeld. Online virtueel klaslokaal biedt ook faciliteiten om te praten met de deskundigen terwijl het onderwijs waar zoals in de offline virtuele klas leerlingen kunnen praten met de leerkrachten van de klas. Het geeft technologische ervaring aan leerkrachten en leerlingen.

Kenmerken van het virtuele klaslokaal: Enkele belangrijke kenmerken zijn de volgende.

1. 1. Flexibel: Het virtuele klaslokaal is flexibeler dan het traditionele klaslokaal. Het stelt de leerlingen en docenten uit alle delen van de wereld in staat om met elkaar te communiceren voor een bepaalde cursus. Ze kunnen met elkaar communiceren op het moment dat het onderwijs hen het beste uitkomt. De locatie en de afstand vormen geen belemmering. Bovendien kunnen ze hun vrije tijd voor het leren gebruiken, omdat ze niet fysiek in de klas hoeven te komen.

2. 2. Kosteneffectief: Virtueel online leren is kosteneffectief. U hoeft geen grote uitgaven te doen om aan een cursus deel te nemen die u normaal gesproken verwacht bij het traditionele onderwijs. U kunt met een beperkt budget deelnemen aan een van de lessen van uw voorkeur. Maar als u kiest voor het traditionele onderwijsproces, dan zult u een enorme uitgave moeten doen.

3. Probleemloos: Zoals u zult leren van een van uw geschikte plaatsen, zult u niet hoeven te gaan door het gedoe van reizen en wachten. U kunt uw apparaat gewoon gebruiken om deel te nemen aan de les. Het zal zowel uw tijd als geld besparen.

4. 4. Gemakkelijke toegankelijkheid: Virtuele klaslokalen zijn gemakkelijk toegankelijk. U kunt eenvoudig een online onderzoek doen naar de beschikbare mogelijkheden en vervolgens kunt u het onderzoek naar de betrouwbaarheid en effectiviteit van de cursus uitbreiden en dan kunt u deelnemen aan de les. Het is eenvoudig en flexibel.

5. 5. Samenwerken: Virtuele leerlingen werken meer dan ooit met elkaar samen. Ze chatten op uw forums, werken samen aan groepsprojecten en strijden om hoge scores op uw scorebord. In sommige gevallen zijn deze ervaringen het nieuwe kenmerk van online cursussen. Leerlingen zijn ze minder gaan zien als digitale transposities van fysieke klaslokalen, en meer als plaatsen waar ze relaties opbouwen met medeleerlingen in plaats van gedeelde interesses.

6. 6. Interactief: Een van de bepalende kenmerken die virtuele leeromgevingen onderscheiden van typische klaslokalen is de flexibiliteit van de manier waarop de lessen worden gegeven. Bij traditioneel leren zitten de leerlingen in een klaslokaal, luisteren ze naar een lezing en maken ze aantekeningen. Maar online klaslokalen geven de leerlingen meer vrijheid om zich met het materiaal bezig te houden - en om de inhoud van de cursus aan te passen en te reageren op basis van hun input.
Gammele lessen, omgedraaide klaslokalen en scenarioleren zijn allemaal voorbeelden van hoe virtuele klaslokalen steeds interactiever zijn geworden. En gezien het succes van deze technieken verwachten we dat nieuwere technologieën deze nog meer zullen omarmen.

Elementen: Complexe onderwerpen, technologische middelen, e-softwares, wetenschappelijk/rationeel inzicht in de problemen/problemen.

Verdiensten:

1. 2. Verhoogd gemak en toegankelijkheid

Het valt niet te ontkennen dat het virtuele klaslokaal de beperking van tijd en locatie heeft weggenomen, een gemeenschappelijke uitdaging in een traditioneel klaslokaal. Met het opheffen van deze beperkingen, hebben leerlingen de vrijheid om te studeren en het cursuswerk altijd en overal af te maken. Leerlingen hebben ook de vrijheid om zich met andere onderwerpen in het klaslokaal bezig te houden, de opdracht te doen, de inhoud van de les op te nemen of examens af te leggen op een tijdstip of een duur die het beste bij hun schema past. Het is toegankelijk voor iedereen die een computer, tablet of smartphone heeft. U kunt deelnemen aan een online cursus vanaf elke locatie waar u een Wi-Fi-signaal kunt krijgen. Het kan een groot aantal studenten aanspreken. Ook kan het worden beoordeeld.

2. 2. Effectief tijdmanagement

Online leren biedt volwassenen uit de arbeidersklasse de ideale omgeving om een evenwicht te vinden tussen werk, gezin en de vraag om terug naar school te gaan. Als je zo'n persoon bent, heb je een klaslokaal nodig dat je helpt je tijd effectief te beheren, en een virtueel klaslokaal bereikt het. Het bijwonen van virtuele klassen in het comfort van uw woonkamer bespaart vele uren die anders gebruikt zouden kunnen worden om heen en weer te pendelen naar de lessen op een campus. Het is tijdbesparend en milieuvriendelijk.

3. 3. Scherpe vaardigheden

Een ander virtueel klaslokaalvoordeel dat veel mensen zeer interessant vinden, is de aanscherping van de digitale vaardigheden. Terwijl u uw vaardigheden en kennis op uw vakgebied vergroot, scherpt u tegelijkertijd uw digitale vaardigheden aan op enkele van de meest geavanceerde online leeroplossingen. Naarmate u vordert met leren in een online wereld, zult u al snel zeer productief en zelfverzekerd worden met behulp van interactieve online leerhulpmiddelen zoals de ezTalks

Cloud Meeting app, samenwerkingstool, teleconferentie-oplossingen, enzovoort. Het helpt de lerenden om motivatie, vaardigheden, waarden en verstand van zaken te ontwikkelen.

4. 4. Betaalbaar

Een ander voordeel van een virtueel klaslokaal is de betaalbaarheid. De kosten die nodig zijn voor het opzetten van een klaslokaal en het beheersysteem voor afstandsonderwijs zijn ongelooflijk gunstig in vergelijking met de kosten voor het bouwen of uitbreiden van extra echte klaslokalen om extra leerlingen op te nemen. Deze besparingen kunnen meestal worden doorberekend aan de leerlingen, waar ze minder van het schoolgeld hoeven te betalen.

5. 5. Discipline, gedrag van de studenten en directe feedback op examens en testen

Directe feedback krijgen op examens en toetsen is een ander groot voordeel van virtueel onderwijs. Als u ingeschreven bent in een online studieprogramma, hoeft u niet dagen of weken te wachten om uw scores te ontvangen. Examens, opdrachten of toetsen die online worden afgenomen, worden meestal gescoord zodra de leerling klaar is. Dit helpt bij het volgen van de voortgang van de leerling en het geeft zwakke punten aan voor verbetering. Het biedt ervaring met het leren door nieuwe docenten. Het geeft authentieke belichtingen terwijl het door experts wordt afgeleverd. Het helpt de experts om ongewenst gedrag van de leerlingen te vermijden. Probleem van discipline, leerbereidheid, voorkennis zijn niet de problemen voor de experts.

Demerits

- Zelfdiscipline - het is essentieel dat je de nodige motivatie hebt om te zitten en de cursus te doen. Dit type van leren is moeilijker voor degenen die geneigd zijn om te wachten.
- Onpersoonlijk - omdat er geen sprake is van echte menselijke communicatie, kan de virtuele omgeving een beetje eenzaam aanvoelen. Het is misschien niet nuttig voor alle soorten leerlingen. Herhaling, overdaad aan voorbeelden, geschiktheid van de taal in de klas is niet voor alle leerlingen relevant.
- Isolatie - er is geen andere studenten met wie je de cursus kunt bespreken, dus het soort klassikale discussies die kunnen leiden tot begrip voor het onderwerp gebeuren niet.
- Solo leren - als je opheldering nodig hebt over een onderwerp, is het niet direct beschikbaar zoals het zou zijn als er een leraar aanwezig was die je zou kunnen vragen. U kunt nog steeds om verduidelijking vragen in een virtuele leersituatie, maar het antwoord kan worden vertraagd door de online beschikbaarheid van de persoon die uw vraag zou kunnen beantwoorden.
- Technologische problemen - Technologische problemen zijn altijd frustrerend, maar als ze zich voordoen als je midden in een virtuele klas zit, kunnen ze zeer storend zijn. Een virtueel klaslokaal is slechts zo goed als de technologie erachter. Als de leersoftware niet goed werkt met uw computer, of als uw internetverbinding midden in een les uitvalt, kan het zijn dat u uiteindelijk meer tijd kwijt bent aan het werken met de software of het repareren van uw verbinding dan aan het leren van het materiaal. Het is gebaseerd op technologie, dus als er geen stroom is, is de uitvoering van de les niet mogelijk.
- Pedagogische kwestie: Alle onderwerpen kunnen niet door middel van virtueel klassikaal onderwijs worden onderwezen.
- Bezorgdheid over de Leraar: Leraar is afwezig, waardoor verduidelijking en herhaling moeilijk is.

- Bezorgdheid over studenten: Het is niet gebaseerd op de emoties van de studenten. Het accepteren van het gedrag van de leerlingen is niet mogelijk. Het delen van kennis en ervaring van de leerlingen is niet welkom.

3.2) Smart Classroom: Concept, elementen, verdiensten en gebreken

Concept: Kwaliteitsonderwijs is een essentiële vereiste in de huidige competitieve omgeving. De technologie heeft ons in alle opzichten beïnvloed. De smart class is een gemoderniseerde onderwijsmethode in het Indiase onderwijsscenario die kwaliteitsvol onderwijs biedt aan studenten door hen te helpen bij een betere conceptvorming, conceptuitwerking, verbetering van leesvaardigheid en academische prestaties.

Een slim klaslokaal is over het algemeen uitgerust met een aantal multimediacomponenten met als doel het onderwijs en het leren te verbeteren. Een kleine klas kan worden gedefinieerd als een geavanceerde implementatie van technologie voor scholen door het aanbieden van hulpmiddelen en inhoud voor het leren.

Smart Classrooms zijn technologisch verbeterde klaslokalen die de mogelijkheden voor onderwijs en leren bevorderen door het integreren van leertechnologie, zoals computers, gespecialiseerde software, technologie voor publieksreacties, hulpmiddelen voor het luisteren, netwerken en audio/visuele mogelijkheden.

Het is het klaslokaal dat gedigitaliseerd is met de nieuwste technologische apparatuur, internet, e-middelen, web 2.0-technologie voor het slimme leren.

Smart learning omvat het authentieke, concrete, systematisch gedigitaliseerde smart learning. Het vereist zowel kennis als vaardigheden voor zowel de leerlingen als de leerkrachten, terwijl het leren door middel van smart classroom. Het elimineert ook de traditionele manier van het gebruik van middelen in de klas. Het maakt het kind een i-kind. Leerlingen leren optimaal gebruik te maken van technologie in de klas. Het verwacht geavanceerde vaardigheden, talenten en kennis in het onderwijs.

Kenmerken van Smart Classrooms:

Adaptief leren: Elk klaslokaal zal altijd leerlingen met verschillende soorten leermogelijkheden hebben, wat het vaak moeilijk maakt voor docenten om ervoor te zorgen dat ze de concepten allemaal begrijpen. De moderne benadering van adaptief leren geeft leerlingen de vrijheid om in hun eigen tempo en op de voor hen meest comfortabele manier te leren.

Collaboratief leren: Leren door samenwerking is een van de meest effectieve vormen van leren. Onderwijs en leren in afzondering zijn zeer beperkend en belemmeren de vooruitgang. Leren in groepsverband vergroot de reikwijdte van het leren en ontwikkelt kritisch denken. Samenwerkende leeractiviteiten zijn onder andere schrijven in groepsverband, groepsprojecten, gezamenlijk oplossen van problemen, debatten en nog veel meer. Collaboratief leren herdefinieert de traditionele leerling-leraar relatie in de klas.

Computers: Computers zijn gemakkelijk beschikbaar in moderne klaslokalen, aangezien ze essentiële hulpmiddelen zijn voor leerlingen van de 21e eeuw en de hulpmiddelen van pen en papier vervangen. Ze geven docenten de kans om hun lessen te verbeteren en hen te helpen.

Wederzijds respect: Docenten en studenten moeten altijd respect hebben voor elkaar. Aangezien de rol van de leerkrachten nu niet langer de wijze op het podium is, moeten de leerlingen hun waarde niet vergeten, want ze zullen altijd begeleiding van hen krijgen. Ook moeten leerkrachten de leerlingen aanmoedigen om met vertrouwen te spreken en hun mening te waarderen.

Prestatiegerichte beoordelingen: Regelmatige prestatiebeoordelingen worden door docenten uitgevoerd via verschillende methoden die zich niet beperken tot toetsen. Dit kan zijn door het uitvoeren van quizzen en polls.
Studentgericht: In slimme klaslokalen spelen leerkrachten de rol van facilitator. Ze helpen de leerlingen kritisch te denken. Studenten ontdekken en beheersen nieuwe concepten. In een studentgerichte klasomgeving staan de interesses van de studenten voorop en wordt er gefocust op de behoeften, mogelijkheden en leerstijlen van elke student.
Studenten nemen de verantwoordelijkheid voor hun leerproces: Als studenten worden aangemoedigd om actief deel te nemen aan hun eigen leerproces, worden ze verantwoordelijk voor hun leerproces.
Studenten begrijpen en volgen de regels en procedures: De leeromgeving is zorgvuldig gepland en goed georganiseerd. Klassenregels, procedures en aankondigingen van komende activiteiten worden op handige plaatsen geplaatst om de studenten te helpen op koers te blijven. Studenten worden voortdurend aangemoedigd om hen te herinneren aan hun doelen en verantwoordelijkheden. Ze volgen de routines van de klas en begrijpen wat er van hen verwacht wordt dat ze elke dag bereiken en hoe ze dat moeten doen.
Er is een innovatief werksysteem voor leerkrachten en in het schoolmanagement:
Voor dit soort slimme en innovatieve activiteiten is een aantrekkelijke klaslokaalomgeving nodig. Slimme schoolklas zal aantrekkelijker, innovatief, leerlingvriendelijker, gezonder en interessanter zijn. In een smart class kan het mogelijk zijn om "online lessen" te organiseren via internet. Smart class is een platform voor e smart class en online IT class.
Er zijn volledig multimediale audiovisuele klaslokalen:
Smart Class is een Slim concept voor Slimme Opvoeders van Slimme Scholen. "Smart Class" omvat Smart Learning Technieken, Smart classroom management, Smart Learning omgeving en Smart Learning Materiaal. Internet, projector en andere multimedia-apparaten zijn de belangrijkste onderdelen van slimme klaslokalen. Smart class is een klasse van de moderne tijd. Er zijn volledig multimediale audiovisuele klaslokalen in een smart classroom. Het zal heel anders zijn dan de traditionele klas. In een smart classroom werkt de leerkracht als een facilitator in het leren.
Het opgewaardeerde soort onderwijs:
Deze verbeterde vorm van onderwijs is zeer interessant voor kinderen. Het is een innovatief idee om ons saaie systeem te veranderen in een slim en innovatief systeem van leeractiviteiten. Slimme school: Smart class is een meer fascinerend model in de wereld. In een slimme school moeten leerkrachten de vaardigheid ontwikkelen om te leren van ervaringen.

Hieronder volgen enkele doelstellingen voor een Smart Class Room toepassing:

- Om de leerkrachten te helpen nieuwe uitdagingen aan te gaan en de capaciteiten en prestaties van de leerlingen te ontwikkelen.
- Om docenten toegang te geven tot multimediacontent en informatie die gebruikt kan worden voor het lesgeven aan studenten. Pedagogisch verantwoorde en visueel rijke leermiddelen.
- Om de leerkrachten in staat te stellen hun mening te geven en ervoor te zorgen dat elk kind het ondernomen concept begrijpt dat uiteindelijk van invloed is op zijn prestatie.
- Om het mogelijk te maken dat de concepten duidelijk worden begrepen. Het abstracte concept echt maken.
- Interactief en live onderwijs om verschillende objecten en percepties uit te werken en te vergelijken met betrekking tot de specifieke concepten.

- Het ontwerpen van een module van smart class die een student in staat stelt om het concept veel beter te visualiseren dan statische beelden. Visuals en animaties die de leerlingen nooit zullen vergeten.
- Om een stap in de richting van ontwikkeling te zetten waarbij de prestaties van de studenten worden benadrukt.
- Om het leren een plezierige ervaring te maken voor studenten. Activiteiten en spelletjes om het leerproces te vergemakkelijken.
- Om de technologie effectief te mengen met het klaslokaal, en om de leerkrachten te informeren over de gebeurtenissen in het klaslokaal
- Om tegelijkertijd de studenten op afstand en de lokale studenten te instrueren.
- Het verbeteren van creatief denken in het leerproces om de concepten en praktijken te visualiseren met model en demonstraties.
- Om het gebruik van e-boeken, e-tijdschriften, protocollen, colleges, documentaires, etc. te optimaliseren.
- Om de inhoud op maat te maken volgens het werkschema van de school en om de mogelijkheid te bieden de inhoud bij te werken.

Elementen: De nieuwste e-bronnen, m-apps, web 2.0 technologie, technologische apparatuur, inhoudelijk onderwijs.

Verdiensten van Smart classroom:

Toegang tot online informatie: Met behulp van technologische hulpmiddelen kunnen leerlingen gemakkelijk toegang krijgen tot een rijke database van online hulpbronnen. Leerkrachten kunnen gebruik maken van de grote verscheidenheid aan online informatiebronnen zoals kennisdatabanken, online video en nieuwsberichten om hun lessen te versterken. Leerlingen kunnen ook snel toegang krijgen tot het brede scala aan krachtige hulpmiddelen en hulpbronnen die ze kunnen gebruiken.

Laat connectiviteit toe op een andere locatie: Interactieve technologische hulpmiddelen maken connectiviteit op verschillende locaties mogelijk; dit maakt een ideale omgeving voor samenwerking en afstandsonderwijs mogelijk. Bij het gebruik van technologische hulpmiddelen, tonen de leerlingen om de samenwerking tussen studenten te vergroten en de totale deelname aan de les te verhogen.

Beter begrip: Het verschuift de ervaring in de klas van de sage-on-a-fase benadering naar een meer collaboratieve omgeving. Met klaslokalen die veranderen in slimme klaslokalen, worden de leerlingen ook slimmer! Grote stukken van alinea's worden vervangen door taartdiagrammen, staafdiagrammen en afbeeldingen en de theorie "Een foto is duizend woorden waard" komt tot leven.

De kloof tussen stad en platteland overbruggen: Het slimme klaslokaal creëert een andere mogelijkheid om de kloof tussen stad en platteland te overbruggen door de leerlingen bloot te stellen aan technologie in een klaslokaal. Ook kan dit klaslokaal worden gebruikt in combinatie met ons voorstel voor preschoolse outreach, zodat kinderen en tieners technologie kunnen ervaren waar ze anders niet aan worden blootgesteld in een landelijke, kleine stadssetting.

Ontelbare middelen om het leren leuker en effectiever te maken: Van apps tot organisatieplatforms tot e-tekstboeken en meer, er zijn veel geweldige tools die zowel studenten als professoren kunnen helpen om samen te werken, ideeën te delen, georganiseerd te blijven en nog veel meer om het meeste uit het leren te halen.

Kan een heleboel lessen automatiseren vervelende taak: Er zijn verlovingshulpmiddelen zoals die kunnen de beoordeling voor u automatiseren en de prestaties van de studenten bijhouden. Op dezelfde manier kunnen tools hem helpen bij het stroomlijnen van de beoordeling voor het schrijven van opdrachten, discussies en deelname, en het beantwoorden van veel voorkomende vragen van studenten, die anders ontmoedigend kunnen lijken vanwege hun objectieve aard. De klas heeft direct toegang tot informatie die hun leerervaring kan aanvullen.
Verander de manier om kennis over te dragen: Over het geheel genomen zal de integratie van technologische hulpmiddelen in de klasomgeving waarschijnlijk de manier veranderen waarop docenten kennis overbrengen aan leerlingen en tegelijkertijd het leerproces voor leerlingen vereenvoudigen. Studenten zullen het gemakkelijk vinden om zich met de lessen bezig te houden en een beter begrip te krijgen van het algemene vakconcept. Het is een ideaal hulpmiddel voor elke klasomgeving. Het onderwijsveld heeft een dergelijke technologie nodig voor studenten, leerlingen en opvoeders om te kunnen blijven groeien in hun vakgebied.
Milieuvriendelijk: Interactieve technologische hulpmiddelen zijn ook milieuvriendelijk. Ze bieden docenten een heel andere manier om informatie aan de leerlingen te presenteren, waardoor schrijven, printen of fotokopiëren niet meer nodig is. Wat bijdraagt aan het elimineren van verspilling door overmatig gebruik van papier en inkt.
Verbeterde onderwijs/leerervaring: Technologische hulpmiddelen bieden nieuwe manieren voor leerkrachten om les te geven en voor studenten om te leren. Deze tools ondersteunen een grote verscheidenheid aan leerstijlen. Visuele leerlingen kunnen bijvoorbeeld toekijken hoe hun docenten de technologische hulpmiddelen gebruiken om visuele elementen te projecteren, terwijl audiolerenden kunnen luisteren en discussiëren. Aan de andere kant zijn de Boards voorzien van touch screen mogelijkheden die tactiele leerlingen in staat stellen om het board aan te raken en met het bord te communiceren.
Meer blootstelling en een bredere toegang tot informatie: Door de toegang tot het internet krijgen de leerlingen een grote mate van blootstelling, omdat ze de kans krijgen om buiten hun bel te denken en te voelen. Ze komen in termen van wat er in de wereld gebeurt en proberen misschien zelfs de verkeerde te veranderen. Technologie is tegenwoordig niet alleen op grote schaal beschikbaar, maar ook betaalbaar. Van apps tot e-tekstboeken tot Wikipedia, hoe ver je ook gaat, alles wat je nodig hebt is het internet en informatie zal beschikbaar zijn voor u en alle andere potentiële lezers en leerlingen.
Verbeterde studentenbetrokkenheid: Studenten die nauwelijks hun hand opsteken in de klas of op de achterbank, die meestal slapen, kijken er nu naar uit om iets nieuws te leren, aangezien deze moderne leeftijdsinstrumenten meer met hen te relateren zijn. Door discussies te stimuleren en nieuwe en 'out of the box' ideeën aan de oppervlakte te brengen, helpt de technologie ook de band tussen de studenten en de leerkrachten te verbeteren.
Interactie en delen: Het interactieve karakter van technologische hulpmiddelen biedt leerlingen de mogelijkheid om te delen en deel te nemen aan het instructieproces. Interactiviteit biedt een platform voor studenten om hun begrip van het onderwerp te demonstreren door middel van aanraken, tekenen en schrijven. Elke leerling heeft de mogelijkheid om deel te nemen of bij te dragen aan de presentatie en de discussie.
Onderhoudsarm: Technologisch gereedschap is netjes en eenvoudig te gebruiken. Er is geen gedoe met het schoonmaken of onderhouden van whiteboards. De gegevens op het scherm kunnen worden gewijzigd met behulp van een gespecialiseerd markeergereedschap of een pen. Het is niet nodig om onhygiënische krijt- of markeerstiften te gebruiken.

Zorg voor een snelle beoordeling: Bovendien zorgen de technologische hulpmiddelen voor een snelle beoordeling, waardoor de leerlingen onmiddellijk feedback kunnen krijgen. Docenten en studenten zijn in staat om individuele sterktes en zwaktes in verschillende vakgebieden te identificeren en gebieden/onderwerpen te isoleren die meer focus of herziening behoeven. Zo helpt smartboard de betrokkenheid van de studenten bij het leren te vergroten.
Biedt flexibiliteit: Interactieve technologische hulpmiddelen maken het mogelijk om veel verschillende vormen van media - waaronder foto's, illustraties, kaarten, grafieken, spellen en video's - weer te geven. Deze hulpmiddelen helpen om de aard van de inhoud die kan worden gebruikt bij het leren uit te breiden. Bovendien maken technologische hulpmiddelen het leren dynamischer omdat de verschillende vormen van presentatie van informatie direct beschikbaar zijn.
Studenten kunnen hun levensvaardigheden aanleren door middel van technologie: Het maken van presentaties, het leren onderscheiden van onbetrouwbare bronnen op het internet, het onderhouden van de juiste online etiquette en het schrijven van e-mails; dit zijn allemaal essentiële vaardigheden die uw studenten kunnen leren in de klas en de master voordat ze afstuderen.
Technologie-integratie: Technologie-instrumenten maken integratie van verschillende technologieën mogelijk om de leerervaring te verbeteren. Het is bijvoorbeeld mogelijk om hulpmiddelen zoals microscopen, documentcamera's, camera's of videocamera's aan een whiteboard te bevestigen als hulpmiddel bij de instructie. Het is ook mogelijk om de interactieve leerhulpmiddelen te integreren met een breed scala aan softwaretoepassingen.
Leraren kunnen meer experimenteren in de pedagogie: Als academisch professional leert men meer over hoe men effectief een klas met technologie kan ontwerpen en uitvoeren. Of het nu gaat om een dramatische verandering zoals het lesgeven met een geflipt klaslokaal, of om het aannemen van één enkel instrument voor een specifiek project of begrip, hij zal iets nieuws leren in de moderne academische wereld! Een goede kennis van technologie kan ook helpen bij het opbouwen van zijn geloofwaardigheid bij studenten en zelfs bij collega's.

Afbrekers:

Een ontkoppelde jeugd

Dit schadelijke effect van de technologie is in de wereld van vandaag al aan het licht gekomen. Mensen zitten bijna 24 uur per dag en 7 dagen per week vast aan hun scherm, waardoor er een geheel nieuwe set van sociale kwesties opduikt. Dit vertaalt zich echter op een andere manier in het schoolsysteem. Steeds meer leerlingen ervaren sociale angsten als het gaat om face to face interacties, maar zijn perfect in staat om online te socialiseren.

Kan meer bedrog in de klas en op opdrachten bevorderen:
Dit zal gebeuren als de docent de hoop op het aanpassen van de houding van zijn leerlingen opgeeft en hen alleen nog maar subjectieve opdrachten geeft die geen gedachte of perspectief vereisen.
Onvermijdelijk bedrog
Hoewel een gemakkelijke toegang tot informatie een groot ding lijkt, kan het een echt probleem worden in een testopname-omgeving. Mobiele telefoons hebben bedrog makkelijker dan ooit gemaakt. Je hoeft niet meer uit te zoeken hoe je alle antwoorden moet opschrijven, je kunt ze gewoon opzoeken!
Ongepaste gegevens:
Met de internetconnectiviteit die 24X7 beschikbaar is, worden de leerlingen blootgesteld aan sommige sites en links die ongeschikt zijn voor hen. Hoewel hogescholen de beschikbaarheid van deze websites op hun netwerk kunnen beperken, kunnen ze niet controleren wat de student zoekt. Het is een beetje duur om de slimme klasomgeving op te zetten. De grootste zorg als het gaat om het gebruik van technologie in scholen is hoe gemakkelijk pornografisch, gewelddadig en ander ongeschikt materiaal kan worden benaderd en bekeken. Dit kan grote problemen veroorzaken als het materiaal wordt gedeeld met andere leerlingen terwijl ze in de klas zitten.
Gebrek aan face-to-face interactie:
Met social media-platforms zijn studenten misschien dichter bij elkaar gekomen door het gebruik van verschillende apps en sites, maar tegelijkertijd zijn ze ver van elkaar verwijderd als het gaat om face to face-interactie, wat blijkbaar invloed heeft op hun echte sociale vaardigheden.
Lesplanning kan arbeidsintensiever worden:
Het kan overweldigend lijken om de technologie in de klas aan te passen. In veel opzichten kan het gebruik van technologie echter net zo natuurlijk worden als elke dagelijkse activiteit. Laat de tijd om te leren hoe je iets moet gebruiken. De kans is groot dat leerlingen het nog sneller leren dan jij, sinds ze zijn opgegroeid omringd door technologie.
Mogelijke ontkoppeling van sociale interactie:
Veel mensen zijn sceptisch over technologie en wat het doet met het vermogen van studenten om mondeling te communiceren. Als de docent in de klas opdrachten maakt die zowel technologische hulpmiddelen als mondelinge presentaties en samenwerking gebruiken, zal dit de studenten leren om dynamisch te zijn in de manier waarop ze leren en met anderen omgaan.
Studenten hebben geen gelijke toegang tot technologische middelen:
Er kunnen studenten zijn die geen iPads of camera's hebben of zelfs de lesboeken voor de klas. Het is aan de leerkracht om hen te wijzen in de richting van de bibliotheek of gemeenschapsbronnen, of om opdrachten te maken die hen in staat stellen om in groepen te werken en bronnen te delen.
De Cyberbullying Trap:
Het geven van toegang tot anonieme accounts en eindeloze contactmogelijkheden kan alleen maar leiden tot problemen. Cyberpesten is vandaag de dag een reëel en in ons gezicht een probleem onder jongeren geworden. Aan deze pesterijen komt geen einde, ook niet in het klaslokaal. Er is ook geen manier om de betrokken leerlingen te controleren of te disciplineren.

Technologie kan een afleiding zijn:
Een van de grootste nadelen van het hebben van technologie in klaslokalen is de afleiding die ermee gepaard gaat. Met zoveel verleidelijke social media platforms zoals snapchat, Instagram, facebook, twitter en tumblr, is het niet moeilijk voor de leerlingen om zich af te leiden van wat er in de klas gebeurt en misbruik te maken van de kans die hen wordt geboden. De aantrekkingskracht

in de klas neemt drastisch af als de leerlingen hun mobiele telefoons of andere technologieën uit hebben. De focus verschuift van hun leraar en opleiding naar wat ze ook bekijken, spelen of doen op hun telefoon.

De kwaliteit van de bronnen is wellicht niet optimaal:

Het internet is zowel een zegen als een vloek. De studenten hebben misschien wat hulp nodig bij het vinden van de juiste bronnen en onbetrouwbare bronnen. Veel campussen hebben schrijfcentra die hierbij kunnen helpen.

3.3) E-Softwares en mobiele toepassingen

Heeft u er wel eens bij stilgestaan hoeveel tijd en moeite we besteden aan alle dingen die we buiten het klaslokaal voor onze ESL-studenten doen? Het is veilig om te zeggen dat we meer tijd besteden aan het plannen van lessen, het voorbereiden op de les, het corrigeren en het beoordelen, dan aan het lesgeven. Natuurlijk besteed je veel zorg aan elk werkblad dat je ontwerpt, maar als het je uren kost op deze dag en leeftijd, terwijl we zoveel middelen en hulpmiddelen binnen handbereik hebben, dan gebruik je je tijd niet verstandig. Het is waar; er zijn een aantal leraren die nog steeds terughoudend zijn om de technologische weg te gaan, maar als je eenmaal ziet hoeveel makkelijker je werk is, hoeveel tijd je bespaart, dan ga je nooit meer terug naar pen en papier.

Hier zijn onze top 10 van software voor leerkrachten, die allemaal gegarandeerd uw werk makkelijker maken en die u dagelijks zou moeten gebruiken:

1. Ranghouder: We weten allemaal hoe vervelend het kan zijn om de scores, de opkomst en alle andere informatie die relevant is voor de voortgang van de studenten bij te houden. Als je hebt nagedacht over het investeren in wat beoordelingssoftware, zal Gradekeeper je niet teleurstellen. Deze onderwijssoftware registreert de cijfers en scores, houdt de opdrachten bij en stuurt zelfs voortgangsrapporten via e-mail. Met individuele licenties die beschikbaar zijn voor $20, is er geen reden om het niet te proberen.

2. Quizfaber: Dit is gratis software voor docenten waarmee je een grote verscheidenheid aan quizzen in HTML-formaat kunt maken, maar er is geen voorkennis van HTML of javascript-programmering nodig. Het maakt echte of valse, meerkeuze en bijpassende quizzen, om er maar een paar te noemen, die u met een paar klikken op het internet kunt publiceren of via e-mail kunt versturen.

3. Woordenmaker: Dit is een AWESOME-vocabulairesoftware voor het maken van printbare werkbladen! Voor een eenjarig lidmaatschap van $22,99 kunt u een verbazingwekkende verscheidenheid aan afdrukbare werkbladen en puzzels maken, zoals bijpassende oefeningen, zoeken op woorden, het invullen van de blanco's, kruiswoordpuzzels, of zelfs bingo-kaarten, naast talloze andere.

4. Lesplanmaker: Heb je wat hulp nodig bij het organiseren van je gedachten en het samenstellen van een geweldige les? MakeWorksheets.com heeft het antwoord voor u. Naast hun geweldige docent software voor het maken van alle soorten puzzels en werkbladen, bieden ze ook leden (een jaar lidmaatschap voor $29,99) met een handige kleine lesplan maker die u zal helpen bij het plannen van een les van uw eigen aangepaste lesplan formaat, maar er zijn ook verschillende sjablonen om uit te kiezen.

5. What2learn: Elke ESL-leraar weet dat kinderen dol zijn op spelletjes. Wat als u een reeks korte computerspelletjes nodig heeft om als tijdvuller tussen de activiteiten door te werken, of om uw leerlingen een pauze te geven van het serieuzere werk? En wat als u uw leerlingen een speciaal door u ontworpen spel zou kunnen geven dat ze thuis kunnen spelen? Kijk niet verder dan What2Learn! Vanaf hun website kunt u uw eigen leuke interactieve game maken met door u gekozen woordenschat of vragen, die opties bevatten zoals beulsknechten, woordzoeken of meerkeuzevragen. Na het maken van de game krijgt u een code en een URL die u naar uw leerlingen kunt sturen. Dit alles in een kwestie van minuten! Alles gratis!

6. 6. Boeken zoeken: Het maakt niet uit hoeveel technologie we gebruiken, we moeten ons nog steeds vastklampen aan onze geliefde boeken. Boeken zoeken is software waarmee je alle soorten boeken kunt zoeken en vinden, zelfs als ze zeldzaam of uitverkocht zijn. Een geweldige manier om geld te besparen, want met deze freeware kun je de prijzen vergelijken voordat je een aankoop doet.

7. Bingo-kaartmaker: Wat zouden we doen zonder op maat gemaakte bingokaarten? Met Bingo Card Printer kunt u uw eigen Bingo kaarten maken en de grootte, het lettertype, het kleurenschema of wat ze zeggen kiezen. U hoeft geen tijd meer te verspillen met lijm en karton. Binnen enkele minuten heeft u de bingokaarten die u nodig heeft klaar om te worden afgedrukt. U kunt een proefversie van deze geweldige software voor leraren gratis downloaden.

8. Picasa: Picasa is gratis software ontwikkeld door Google, een essentieel beeldbewerkingshulpmiddel waarmee je de foto's die je op je PC hebt opgeslagen kunt bewerken, zodat je ze vervolgens kunt gebruiken op werkbladen, kleurplaten, spelletjes, flashcards en alle soorten activiteiten. U kunt ook albums maken die u met uw leerlingen kunt delen.

9. Testcommandant: Deze docentensoftware is van onschatbare waarde voor het maken van professioneel ogende online of gedrukte toetsen. U kunt toetsen online publiceren en ze worden automatisch beoordeeld, waarbij de testresultaten direct naar u worden verzonden. Of maak toetsen aan die u op papier administreert en afdrukt. Ook kunt u uw testdatabase naar anderen sturen. EN deze is gratis te downloaden. Best verbazingwekkend, hè?

10. Hilltext: Deze tool maakt uw internetonderzoek zoveel makkelijker omdat het uw zoekwoorden benadrukt, waardoor u effectief en snel een tekst kunt scannen naar de informatie die u nodig heeft. Het bespaart tijd en het is niet nodig om over een lange tekst te piekeren en ervoor te zorgen dat u niets mist; de sleutelinformatie wordt voor u gemarkeerd en in het volle zicht.

Rijden Microsoft Word en Excel je tegen de muur? Kunt u niet achterhalen hoe u PDF-bestanden moet maken? Ben je laat op gebleven om dat op maat gemaakte bordspel af te maken? Gelukkig zijn er veel mensen die toevallig leraren zijn, die hebben nagedacht over uw behoeften. Sommige van deze educatieve softwareoplossingen halen het giswerk uit het ontwerpen van professioneel uitziende werkbladen, quizzen of toetsen. Andere maken uw werk gewoon makkelijker en minder tijdrovend.

Mobiele toepassingen (M-apps):

Een mobiele applicatie, meestal aangeduid als een app, is een soort applicatiesoftware die is ontworpen om te draaien op een mobiel apparaat, zoals een smartphone of een tabletcomputer. Mobiele applicaties dienen vaak om gebruikers te voorzien van soortgelijke diensten als die welke op pc's worden gebruikt.

Voorbeelden van mobiele toepassingen: 1. 1. Nokkenscanner: 2. Woordenboek 3. Foto's Art. 4. 4. Leer computer in 30 dagen 5. 5. Voice Recorder 6. 7. Vuursteen 7. Engels Grammatica 8. Je tube 9. Guru 10. Wiskunde magie

Kenmerken van mobiele toepassingen:

1. 2. Interactieve inhoud

Kinderen zijn humeurig en kunnen gemakkelijk hun focus of interesse verliezen door alles, laat staan door studies. Dus uw topopleiding app heeft behoefte aan wat de meeste educatieve apps missen in hen, "eye-catching" inhoud. Als u een app voor kinderen onder de 12 jaar wilt bouwen, moet u stripfiguren toevoegen als gids voor de hoofdstukken en levendige kleuren gebruiken waar kinderen dol op zijn. Als uw doelgroep boven de 12 jaar is, dan is uw werk misschien niet gemakkelijk, maar zeker anders dan de vorige sectie. Kinderen boven de 12 jaar zijn erg ongeduldig en ze hebben iets nodig dat "cool" is en "gebeurt", dus je moet de stijl van de overgangen en het ontwerp van uw educatieve mobiele app dienovereenkomstig te houden.

Je moet begrijpen dat kinderen die de meeste educatieve apps gebruiken, heel anders zijn in de manier waarop ze elk onderwerp begrijpen, zodat je de inhoud in de eenvoudigste taal nodig hebt, zodat elk kind kan begrijpen wat het onderwerp probeert over te brengen. Ook moet je een aantal leuke feiten en interessante statistieken toevoegen die hun interesse behouden en toch een impact hebben op hun geest die hen zal helpen om de belangrijke gegevens te onthouden.

2. 2. Gemakkelijke navigatie

Je moet begrijpen dat veel van deze kinderen die de app voor het eerst gebruiken het tegen hun wil doen, alleen al vanwege het verzoek van hun leerkrachten of ouders. Dus deze kinderen voelen zich vijandig tegenover de educatieve mobiele app en proberen zelfs een klein teken van ergernis te vinden om te stoppen met het gebruik van de app. Dit lijkt misschien een probleem, maar als ondernemer moet je dit probleem omzetten in een kans.

Houd het aanmeldingsformulier zeer kort, niet meer dan 3 kolommen (naam, klasse en contactnummer). Hou ook de navigatie eenvoudig, je geeft geen les in raketwetenschap en zelfs als je dat wel doet, hou de complexiteiten alleen bij de onderwerpen, niet bij de UI (User Interface). De leerlingen moeten alle belangrijke functies van uw app in de eerste 5 minuten of zelfs minder leren.

3. 3. Krachtige database:

Dit is een meer technisch punt, maar nog steeds zeer belangrijk om te overwegen. Alle gegevens met betrekking tot de meeste onderwijsapplicaties worden opgeslagen op servers en zouden dus ook de uwe zijn. U heeft dus een zeer betrouwbaar database management systeem nodig dat efficiënt werkt en snel en accuraat resultaten levert bij de query's. Een ander ding om te overwegen is dat de inhoud regelmatig moet worden bijgewerkt met de nieuwste video's, feiten, cijfers en statistieken.

4. 4. Levende handleidingen

Veel van de bestaande educatieve mobiele apps missen deze belangrijke eigenschap. Het hebben van een top onderwijsapp is niet genoeg; studenten hebben wel behoefte aan een bewuste aanwezigheid van een tutor die hun twijfels direct kan wegnemen. Het hosten van live tutorials geeft de studenten de kans om live interactie te hebben met de tutor en live vragen te stellen en exacte antwoorden te ontvangen zonder afhankelijk te zijn van vooraf ingestelde vragenlijsten.

5. 5. Spottest en Praktisch

Tests zijn een integraal onderdeel van het leren en uw educatieve mobiele app moet deze ook implementeren. De app moet een speciale sectie hebben voor toetsen en quizzen. Naast het hebben van hoofdstuk- en onderwerpgewijze mock tests, moet de app ook een functie hebben voor leerlingen om hun schooltesten te uploaden en antwoorden voor hen te krijgen.

6. 6. Offline modus

Veel studenten hebben geen 24/7 internetverbinding. Het geven van een offline modus waarbij de studenten een beperkt aantal modules in één keer kunnen downloaden, kan hen geïnteresseerd houden in de app en kan ook het voordeel van de app bieden zonder internet. Elke module die ze downloaden geeft je exacte statistieken over hoe succesvol de app is en hoe kinderen reageren op elke module, deze informatie is van vitaal belang voor het updaten van de cursus en het aanpassen van de app. Normaal gesproken zijn er applicaties die in hun primaire capaciteit volledig afhankelijk zijn van de internetverbinding. Er kunnen functies die wenselijk zijn over worden gehouden voor op het web. Hoe dan ook, als uw geval niet één van deze twee is, zorg er dan voor dat de applicatie in offline modus kan werken.

7. 7. Push-melding

Push-meldingen zijn een integraal onderdeel geworden van bijna elke app. Deze functie nodigt de gebruiker uit tot belangstelling voor de app met frequente berichten. Het geven van basisinformatie in procenten over de afgeronde cursus, het aantal afgeronde toetsen en interessante feiten over lopende modules zijn slechts enkele van de dingen die je kunt doen met pushmeldingen in een educatieve mobiele app.

8. 8. Gamificatie

Kinderen houden van spelletjes en wat zou beter zijn voor een educatieve mobiele app als ze kinderen kunnen leren met behulp van spelletjes. Er zijn veel bewezen onderzoeken die het feit ondersteunen dat kinderen meer leren als ze les krijgen door middel van spelletjes en leuke experimenten. Gamificatie van uw app is belangrijk om meer gebruikers aan te trekken en hen een heerlijke ervaring te geven.

9. 9. Sociale media-integratie:

Transformeer het delen in een eenvoudige en winstgevende manier voor andere mensen om u te leren kennen. Zo'n verklaring van loyaliteit van de consument brengt een grote inleidende gemoedstoestand met zich mee. Potentiële klanten krijgen deze 'suggesties', die de duidelijkste beslissing op u nemen wanneer zij het soort diensten nodig hebben dat u aanbiedt. Als u op zoek bent naar een applicatie met betrekking tot android app-ontwikkeling, iPhone app-ontwikkeling en Windows app-ontwikkeling, neem dan contact met ons op. Wij zijn je beste mobiele app-ontwikkelaar.

10. 10. Persoonlijke ervaring

Als klant houdt ieder van ons van het gevoel dat een winkeleigenaar ons een speciale behandeling en korting geeft op onze favoriete producten. De kinderen (de gebruikers in dit geval) zullen zich ook meer op hun gemak voelen met de app als deze reageert op hun studiegewoonten en methoden om hen de manier te leren waarop ze het meest van de app houden en niet een of ander vooraf ingesteld patroon. Als een kind zwakker is in wiskunde, dan moet de app de uitleg van wiskundeconcepten vereenvoudigen tot de eenvoudigste vorm om ze gemakkelijk te laten begrijpen. Personalisatie wordt zeker door iedereen gekoesterd. Aanpasbare instellingen, tekststijlen, tinten en maten zijn een overwinnaar, als het gaat om het kiezen van een toepassing onder vergelijkbare toepassingen. Laat ze de applicatie er zo uitzien als nodig is.

11) Eenvoud voor de gebruiker: Handige gebruikersinterface. Onthoud dit principe hoogtepunt van een mobiele toepassing. Het kan moeilijk te bereiken zijn, maar het resultaat is gerechtvaardigd, ondanks alle problemen - klanten zullen geen motivatie hebben om over te stappen op een andere applicatie. Wat het nut ook is - hoe eenvoudiger het wordt overgebracht, hoe beter het voor u is. Alle inhoud moet toegankelijk zijn op de minst complexe manier die beschikbaar is. Geef klanten de kans om elke activiteit moeiteloos uit te voeren, en u zult ze niet kwijtraken. Dat is het ding dat mobiele applicaties gaande houdt en ze populair maakt.

12) Android en iOS: Dit zijn twee platformen die in feite omhuld moeten worden. Beide zijn in grote mate beroemd en worden wereldwijd gebruikt. Wat de moeite waard is om te zeggen, het eerste platform kan problemen veroorzaken met het aantal apparaten, dus de toepassing moet vooral worden gepland en helemaal uitgeprobeerd op elk apparaat dat je kiest.

13) Goed gedaan: De snelheid van het laden mag de gebruikers niet ophouden. In ieder geval worden problemen, bijvoorbeeld dit, over het algemeen gecontroleerd door middel van een kwaliteitsbevestiging, wat een stuk softwareontwikkeling is. Dat is de reden

14) Beveiliging: Deze kwestie is cruciaal voor tal van toepassingen. Het is een van de primaire thema's van het onderzoek in het midden van u en de programmeurs. Lekken van de privégegevens van de gebruikers is niet toegestaan.

15) Ondersteuning en upgrades: Om een langdurige toepassing samen te stellen, moet u overwegen om een backing en herontwerpen uit te voeren. Houd de server in stand. Gegarandeerd dat uw inhoud bestaat uit uitzonderlijke, relevante gegevens. Anders dan bij substance is het fundamenteel om de applicatie verder te upgraden met fixes en nieuwe elementen als daar behoefte aan is.

16) Feedback en contactmiddelen: Wees geïnteresseerd in iedereen en verbind je met klanten in een gemeenschappelijke correspondentie. Laat klanten voorstellen, tarieven en beoordelingen achterlaten. Neem contactmiddelen op en klik op 'bel', indien gewenst. Maak die communicatie zo snel en eenvoudig als onder de gegeven omstandigheden verwacht mag worden, met een basis aantal tikken en een minimum aan tekstinvoer.

17) Analytics: Deze functie, die zo belangrijk is als lucht, maakt het mogelijk om gebruikers te volgen en de volledige gegevens over het gedrag van de gebruiker te verkrijgen. Op basis van deze informatie kunt u zien, in welke aanpak voor het herontwerpen van de applicatie.

REFERENTIES

Bibliografie:

Thomas, B. (1991) Digital Computer Fundamentals, Tata Megraw Hill Education, New York.

Fong, J., Chengue, C. (2002), Advances in Web Based Learning, Springer Publication, New York.

Strawbridge, S. (2006), Netiquette: Internet Etiquettes in het tijdperk van de blog, Software Reference Limited, UK.

Krench, D. (2007), The Whole Digital Library, Verenigde Staten van Amerika.

Goel, A. (2010), Computer Fundamentals Dorling Kindersley, Zuid-Azië.

Jimoyiannis, A. (2012), A Research on e-Learning and ICT in Education, Springer Publication, New York, London.

Wang, J., Lau, R. (2013), Advances in Web Based Learning, Springer Publication, New York, Londen.

Webliografie:

https://www.myclassboard.com/blog/need-importance-ict-education/

https://www.eztalks.com/elearning/advantages-and-disadvantages-of-virtual-classroom.html

http://www.vkmaheshwari.com/WP/?p=2352

http://www.lindenwood.edu/r2p/docs/CheBarnettStephens.pdf

https://www.uticaod.com/article/20120907/BLOGS/309079938

https://www.bestcomputersciencedegrees.com/lists/5-legal-and-ethical-issues-in-it/

https://en.wikipedia.org/wiki/Massive_open_online_course

http://wikieducator.org/Need_and_Importance_of_Information_Technology_in_Education

http://www.vkmaheshwari.com/WP/?p=2352

https://busyteacher.org/2878-top-10-teacher-software-programs-you-should-be.html

Printed in Great Britain
by Amazon